Cuidando niños

UNA GUÍA COMPLETA PARA EDUCADORAS

Cuidando niños

UNA GUÍA COMPLETA PARA EDUCADORAS

María de Lourdes Garza Caligaris
María de Lourdes Romero Sánchez

AGRADECIMIENTOS

- A las educadoras de las estancias y centros infantiles comunitarios, especialmente a las del CEIP Capula por su disposición para probar las ideas nuevas y por su apoyo constante durante todo el proceso de investigación y sistematización.
- A los niños y niñas por regalarnos su asombro ante la vida.
- A María del Carmen Álvarez Cordero por su revisión paciente y cuidadosa, y sus comentarios siempre pertinentes.
- A Esther Noria Rosales por su disposición para enseñar y para revisar la sección de masajes y ejercicios.
- A la Fundación Bernard Van Leer.
- A la Fundación Pueblito, Canadá.
- Al personal de Enlace, Comunicación y Capacitación, A.C., por la confianza puesta en nosotras.

Título de la obra: Cuidando niños
Título 1ª edición: Estancias infantiles comunitarias

CUIDADO DE LA EDICIÓN: María del Carmen Merodio
DISEÑO, DIAGRAMACIÓN E ILUSTRACIONES: Fernando Rodríguez Álvarez

Av. Cuauhtémoc 1430
Col. Santa Cruz Atoyac
México D.F. 03310
Teléfono: 5605 7677
Fax: 5605 7600
Correo electrónico: editorial pax@editorialpax.com
Página web: www.editorialpax.com

ISBN 978-607-9346-40-9

Impreso en México / *Printed in México*

ÍNDICE

PRESENTACIÓN

La atención a la educación inicial resulta de primordial importancia, ya que son los primeros años en la vida de un ser humano los que tienen mayor repercusión en su desarrollo. En estos años se adquieren habilidades fundamentales, pautas de conducta y valores. Nunca más en la vida se volverá a presentar un periodo de cambios tan rápidos, de aprendizajes tan significativos. Sin embargo, en los sectores populares existe un gran número de niños menores de seis años que no recibe la atención que necesita para lograr un desarrollo armónico, puesto que los programas de atención para ese nivel son insuficientes, costosos y muchas veces de baja calidad.

Por este motivo, Educación Integral Popular, A.C., comenzó un trabajo de investigación y práctica educativas con niños en edad preescolar, sus familias y educadoras, en comunidades suburbanas y rurales de nuestro país, con objeto de ofrecer una educación integral, personalizada y de alta calidad.

El resultado de este trabajo es el *Sistema de Educación Integral Popular*, propuesta que se ha ido enriqueciendo día a día con nuevos conocimientos, nuevas preguntas y los aportes de cada educadora y comunidad.

Este *Manual* está basado en nuestra experiencia con niños, niñas y educadoras, utilizando el Sistema de Educación Integral Popular (SEIP), y recupera, además, parte de la experiencia de otras instituciones que se dedican al desarrollo de sistemas educativos y a la capacitación de educadoras en comunidades marginadas.

Enlace, Comunicación y Capacitación, A.C.
Benjamín Franklin, 186
Colonia Escandón; México, D.F.
Teléfonos 273 33 43 y 273 34 03.

Educación Integral Popular, A.C.
Calzada de las Águilas, 1059
Colonia Prolongación Las Águilas
México, D.F.
Teléfono 618 36 26

Educación Preescolar Comunitaria
Nezahualpilli
Teléfono 702 93 72

PRIMERA PARTE:
LA ORGANIZACIÓN

CONFORMACIÓN DE UNA ESTANCIA INFANTIL COMUNITARIA

Una Estancia Infantil Comunitaria se vincula con un proyecto de desarrollo comunitario amplio.

Esto permitirá que el trabajo tenga continuidad, responda a los intereses de la comunidad y satisfaga una necesidad real.

1

El primer paso es elaborar un *programa de trabajo* que nos permita analizar y organizar todo lo que necesitamos para iniciar una Estancia; se especifican los objetivos que queremos lograr, las acciones y los recursos con los que contamos. Durante esta primera etapa es muy importante preguntarse: ¿por qué queremos abrir una estancia infantil?, ¿en qué será diferente de las otras que ya existen?, ¿qué opciones estamos ofreciendo a los niños, a la familia, a la comunidad en general?; es decir, cuáles son los principios generales que nos planteamos.

El segundo paso es *conformar el equipo de trabajo*. Puede estar integrado por mujeres y hombres de la misma comunidad que estén interesados en el bienestar de los niños y comprometidos con el proyecto de desarrollo social.

El tercer paso es realizar una *investigación preliminar* sobre las condiciones de vida de la comunidad. Ésta nos permitirá conocer más a fondo la problemática de la vida cotidiana; por ejemplo, cómo se relacionan los padres con los hijos, cuál es el papel que se asigna a los niños en la comunidad, a qué juegan, qué comen, etcétera, de manera que el ambiente educativo de la estancia infantil comunitaria vaya de acuerdo con sus condiciones de vida y responda a sus carencias y necesidades, a sus intereses, valores y cultura.

El cuarto paso es elaborar *el proyecto*, con los resultados de la investigación preliminar, identificando en qué aspectos de esa realidad queremos influir para llegar al objetivo establecido en el programa.

El quinto paso es la *capacitación* del equipo de trabajo para la atención cotidiana de los niños, la elaboración del material educativo y el arreglo de los ambientes de trabajo.

❶ EL PROGRAMA DE TRABAJO

El programa nos sirve para clarificar grupalmente ¿qué se quiere lograr?, ¿hacia dónde se quiere ir?, ¿con quiénes se cuenta? y ¿a quiénes van dirigidas las acciones? Nos permite el mejor aprovechamiento de los recursos y del tiempo para alcanzar los objetivos. Facilita la distribución de tareas y responsabilidades, además de favorecer el seguimiento y la evaluación, relacionando los resultados logrados con lo que se programó.

Para la realización del programa necesitamos ser realistas, seleccionando bien el problema o situaciones que podemos abordar, tomando en consideración nuestras posibilidades reales, capacidad, interés y la disposición de tiempo y recursos.

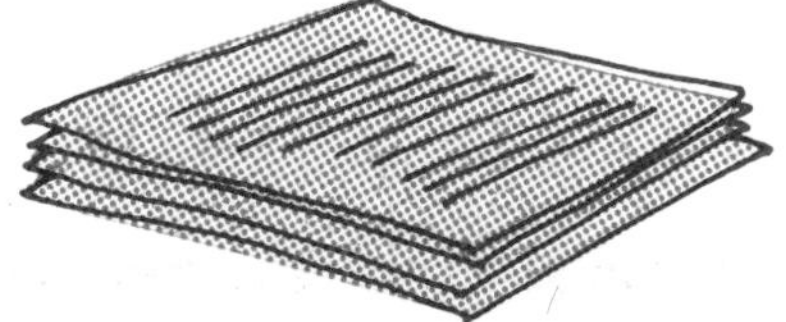

SE ELABORA EL PROGRAMA POR ESCRITO, RESPONDIENDO LO SIGUIENTE:

OBJETIVO: ¿Para qué?
Se determinan los propósitos y límites que se deben alcanzar, a través de acciones organizadas. Se inicia la redacción con un verbo en infinitivo (lograr, determinar, superar, etcétera).

META: ¿Cuánto, cuándo, dónde?
Es una manera de determinar cuánto se quiere alcanzar con esos objetivos, es la forma de expresar cuantitativamente lo que se quiere lograr. Especifica el servicio que se prestará o necesidades que cubrirá. Es importante plantearse objetivos y metas que sean realistas y pertinentes.

ACTIVIDADES: ¿Cómo las vamos a desarrollar?
Es lo que concreta la realización de un proyecto, es la ejecución secuencial e integrada de diversas tareas, que se determinan a partir de las metas.

TIEMPO: ¿Cuándo las vamos a efectuar?
Se determinan los plazos o calendario de actividades. En el proyecto se programan a largo plazo.

RECURSOS: ¿Con qué contamos?
Son los bienes, medios, servicios, etcétera, que se necesitan para la realización del plan. Pueden ser: humanos (las personas adecuadas), materiales (herramientas, equipos, instrumentos, etcétera), técnicos (alternativas técnicas o metodológicas), financieros (cálculo o estimación que se prevé para la ejecución del proyecto).

RESPONSABLE: ¿Quién las va a realizar?
Se determinan las responsabilidades de cada una de las personas que integran el equipo de trabajo.

LOCALIZACIÓN: ¿Dónde se realizarán?
Es determinar el área en donde se ubicará el proyecto, o el lugar específico donde se realizará cada actividad.

UN EJEMPLO DE CÓMO ELABORAR EL PROGRAMA PODRÍA SER:

OBJETIVO: Lograr mejores condiciones de desarrollo para los niños y las niñas de San José del Río

META Cuánto	ACTIVIDADES Cómo	TIEMPO Cuándo	RECURSOS Con qué	RESPONSABLE Quiénes	LOCALIZACIÓN Dónde
• Abrir una estancia infantil	• Conformación del equipo de trabajo	• Abril	• Tres personas Un local	• Margarita y Juan	• En la manzana 34, lote 6
	• Organización del equipo de trabajo	• Abril	• Hojas, pizarrón, otras personas interesadas	• Carmen	• En la manzana 34, lote 6
	• Realización de la investigación preliminar	• Mayo y junio	• Formatos, hojas	• El equipo de trabajo	• En la comunidad
	• Elaboración del proyecto	• Julio y agosto	• El equipo de trabajo resultado de la investigación preliminar	• El equipo de trabajo	• En la manzana 34, lote 6

❷ EL EQUIPO DE TRABAJO

Cualquier persona, soltera o casada, hombre o mujer, puede participar en el equipo, siempre y cuando tenga interés en el bienestar de los niños y compromiso con la comunidad, además de que sepa leer y escribir.

Consideramos que el trabajo con niños pequeños es una gran responsabilidad; por lo tanto te proponemos el siguiente perfil para las personas que integran el equipo de trabajo.

PERFIL DEL EQUIPO DE TRABAJO

- Tener interés en mejorar las condiciones de vida de los niños y de la comunidad.
- Mostrar interés en encontrar respuestas a los problemas que afectan a los niños y a las familias con quienes trabaja.
- Animar a la comunidad, siendo solidario y relacionándose de igual a igual.
- Tener deseo de capacitarse y prepararse de manera continua para desempeñar mejor su trabajo.
- Tener iniciativa y creatividad.
- Buscar ser un ejemplo para su comunidad. Ser una persona crítica, que se equivoca, pero que aprende de sus errores. Ser abierta a las observaciones que se le hagan.
- Mostrar deseos de compartir sus experiencias con otras personas.

COORDINADORA

Es la persona responsable de la organización y administración de la Estancia y de las relaciones con otros grupos.

Perfil

- Conocimiento y práctica anterior en el trabajo con niños.
- Habilidad para organizar el trabajo.
- Habilidad para administrar los recursos.
- Facilidad para establecer relaciones con otras personas e instituciones.
- Capacidad para facilitar el trabajo en equipo.

EDUCADORAS

Son las personas responsables del trabajo directo con niños y sus familias.

Perfil

- Gusto para trabajar con niños.
- Habilidad para manejar un grupo de niños.
- Capacidad para trabajar en equipo.
- Ser ordenada.

COCINERA

Es la persona encargada de la elaboración de alimentos con la participación de los niños. Vigila la nutrición, talla y peso de los menores. Coordina las compras de alimentos y la organización de la cocina.

Perfil

- Experiencia en la preparación de alimentos.
- Gusto para trabajar con niños.
- Interés por conocer las preferencias y gustos de los niños.
- Ser limpia y ordenada.

La función de cada integrante del equipo puede variar, dependiendo del número de educadoras y de niños. Cada uno tiene un papel importante que desempeñar. Es necesario *especializarse* en su trabajo para mejorar cada día y para aprovechar las habilidades y capacidades individuales, pero también es bueno tener conocimientos generales de las funciones de los otros, de tal manera que todos puedan desempeñar cualquiera de las actividades cuando sea necesario, para suplir a algún integrante que se ausenta o renuncia. Hay que tener en cuenta que los cambios en el personal no deben ser muy frecuentes, ya que a los niños las modificaciones de la rutina pueden afectarlos negativamente, porque rompe su orden interno y significa la separación de una persona que ha llegado a ser importante para ellos.

Trabajar en equipo es fundamental para el mejor desempeño de las actividades, ya que no es un proyecto particular, sino un trabajo comunitario en donde la opinión y la decisión son de todos.

Para lograr un buen trabajo en equipo es necesario:

- Distribuir tareas de acuerdo con la realidad y posibilidades de cada uno.
- Tener claras las reglas, definiendo conjuntamente los compromisos, responsabilidades, normas de funcionamiento, etcétera.
- Establecer niveles de participación, definiendo el papel de cada uno, para ofrecer diferentes alternativas de participación y compromiso.
- Crear un clima democrático y de cooperación que permita la toma de decisiones y la solución de conflictos.
- Favorecer la comunicación permanente intercambiando las experiencias, información y aprendizajes.

TRABAJAR EN EQUIPO NOS PERMITE

- **Continuidad en el trabajo, pues éste no depende de una o dos personas.**
- **Mayor efectividad y alcance de nuestras acciones, pues se pueden distribuir las tareas, descentralizando el trabajo.**
- **Mayor participación en la toma de decisiones. Cada integrante aporta sus sugerencias y enriquece las propuestas.**
- **La cooperación y solidaridad al sentirnos identificados y apoyados por otras personas.**
- **El aprendizaje conjunto. Cada quien comparte sus experiencias y conocimientos de acuerdo con sus características, potencialidades y posibilidades, nutriéndose como grupo y como persona.**

❸ LA INVESTIGACIÓN PRELIMINAR

Para iniciar un proyecto de educación infantil es necesario conocer la realidad de la comunidad, sus necesidades y circunstancias en las que se va a efectuar el trabajo. La investigación preliminar nos sirve para conocer:

- A la comunidad y valorar lo que en ella existe.
- Los problemas que más afectan a los niños.
- La visión que tienen los vecinos sobre los problemas y sus posibles soluciones.
- Los recursos físicos existentes: locales comunitarios, terrenos, canchas, etcétera.
- Las personas reconocidas por su trabajo y compromiso con la comunidad o que poseen conocimientos y experiencias que pueden servir de apoyo al proyecto (carpinteros, enfermeras, secretarias, maestros, etcétera).
- Los servicios existentes de atención preescolar, casas de cuidado diario, escuelas, centros de salud, deportivos, etcétera.
- Los grupos, organizaciones e instituciones que trabajan con la comunidad.
- Otras personas interesadas en trabajar en el proyecto.

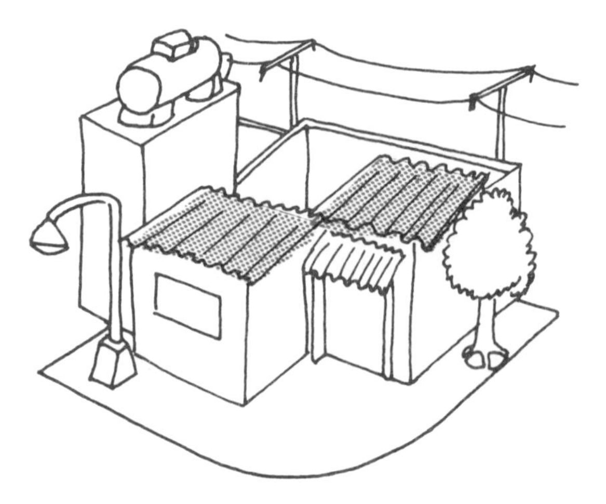

Para analizar esta realidad, necesitamos conocer el ambiente físico y el ambiente social.

Ambiente físico
Conocer el ambiente físico del lugar donde pondremos en práctica nuestro proyecto educativo nos permite conocer su ubicación geográfica y tener una idea general de sus recursos naturales. Para ello, consideramos lo siguiente:

¿CÓMO ES LA COMUNIDAD?

- **LOCALIZACIÓN**
  Con ayuda de un mapa, ubicar geográficamente el lugar (estado, municipio, colonia, etcétera). Describir cuáles son los medios para llegar a éste.
- **CLIMA**
  Calor, frío, humedad, vientos, lluvias, etcétera.
- **FLORA Y FAUNA**
  Vegetación y animales que suelen poblar el lugar.
- **TIPO DE SUELO**
  Erosionado, fértil, etcétera.
- **POBLACIÓN**
  Cantidad de personas que viven en el lugar.
- **SERVICIOS CON LOS QUE CUENTA**
  Agua, luz, drenaje, pavimentación, teléfono, mercados, servicio de limpia, vigilancia, estación de bomberos, etcétera.
- **INSTITUCIONES PÚBLICAS**
  Escuelas, hospitales, albergues, casas de cultura, bibliotecas, centros deportivos, lugares recreativos, oficinas de gobierno.
- **INSTITUCIONES PRIVADAS**
  Bancos, escuelas, etcétera.
- **COMERCIOS**
  Supermercado, tortillerías, mercados ambulantes, zapaterías, verdulerías, etcétera.

* Ver anexos 2, 3 y 4, pp. 166-168.

Ambiente social
Conocer el ambiente social nos permite desarrollar una práctica educativa apegada a las necesidades reales de los niños de la comunidad.

Los aspectos que se deben tomar en cuenta al considerar el ambiente social son:

¿CÓMO SON LAS PERSONAS?

a) Antecedentes históricos de la comunidad

Cómo y cuándo surgió, cómo eran las costumbres, a qué se dedicaba la gente.

b) Estructura económica

Las actividades económicas más importantes.

c) Estructura sociocultural

—*Demografía.* El número de habitantes que conforman la comunidad; número de mujeres y de hombres; de niñas y niños.

—*Religión.* Qué tipo de religión predomina; actitudes de la gente ante la religión; festividades; influencia de líderes religiosos.

—*Educación.* Hasta qué grado llega la educación formal (escuelas oficiales y no oficiales); número de estudiantes; actitud de los maestros; número de locales y su ubicación; la importancia que la comunidad da a la educación formal.

—*Socialización.* Cómo se van preparando los individuos para desempeñar diversas actividades dentro de la comunidad; cómo se transmiten los conocimientos, los valores y las conductas.

—*Familia.* Tipos de familias que caracterizan a la comunidad. Familia nuclear formada por padre, madre e hijos viviendo en la misma casa. Familia extensa, es decir, varias familias o parientes que viven en una o varias casas, pero que sus funciones económicas de educación y otras se comparten entre todos los miembros. Cómo se comportan los padres con los hijos y viceversa, cómo se comporta la pareja. Estado civil (casados, solteros, unión libre, etcétera). Quién es el sostén económico, etcétera.

—*Tradiciones.* Fiestas, juegos comunes, actividades que involucran a toda o casi toda la comunidad.

—*Creencias.* Las ideas comunes entre los habitantes ante distintas situaciones, la manera como ven el mundo, sus valores, sus leyendas, lo natural y sobrenatural, etcétera.

—*Costumbres locales.* Modo común de hablar, de vestir, de pensar, de actuar, etcétera.

—*Relaciones entre los habitantes de la comunidad.* Cuál es el trato que se da entre las personas, el grado de cooperación, apatía o competencia; cuál es la relación entre los que tienen el poder y los demás.

—*Relación social que se establece con las comunidades, poblados o ciudades cercanas.* Qué tipo de relación se da: económica, política y/o social; si existe una relación de dependencia de ésta con las demás.

d) Estructura política

Grupos o personas de poder (tanto oficiales como no oficiales) que ejercen influencia en los habitantes. Es importante detectarlos porque éstos reflejan la estructura de dominio que existe a nivel local o estatal.

* Ver anexos 5 y 6, pp. 169-175.

Técnicas de investigación preliminar

Para obtener los datos anteriores, podemos utilizar las siguientes técnicas:

a. Observación

Por medio de ella se obtienen datos que permiten conocer de cerca situaciones específicas de la comunidad. Se puede realizar sólo viendo con atención o participando directamente en actividades de la comunidad. Por ejemplo: una fiesta, una reunión, etcétera.

LOS CRITERIOS PARA LA OBSERVACIÓN SON:

- **La observación debe hacerse de manera individual, sin desempeñar otra actividad a la vez.**
- **Debe haber concentración en el momento en que se observa y no perder de vista el objetivo de nuestra observación.**
- **Se deben describir las cosas observadas totalmente. Habrá cosas o situaciones que nos parezcan habituales y que pensemos que no es necesario describirlas; sin embargo, debemos narrar todo.**
- **No hay que poner *juicios de valor*, no hay que dar nuestra opinión sobre lo que observamos.**
- **Los comentarios o las opiniones personales se harán por separado.**
- **La redacción se hará en primera persona y en presente.**
- **El equipo de trabajo puede realizar una guía de observación, de acuerdo con los objetivos que quieran alcanzar.***

* Ver anexo 7, p. 176.

b. Cuestionario

Los datos que no podemos obtener de la observación se pueden conseguir por medio de un cuestionario con preguntas específicas que se harán directamente al entrevistado. (Ver anexos 5 y 6, pp. 169-175.)

Organización de la investigación preliminar

LA INVESTIGACIÓN SE PUEDE ORGANIZAR DE LA SIGUIENTE MANERA:

1. **Acción preliminar: organizar el equipo, llegar a acuerdos, definir objetivos, calendarizar las actividades, cursos, pláticas, etcétera.**
2. **Muestreo: mapa de la colonia o comunidad; repartir por zonas para su observación, con un número representativo de calles o casas para la obtención de datos.**
3. **Consultar documentos y archivos de otros grupos e instituciones que ofrezcan datos importantes.**
4. **Calendarizar los días de observación, entrevistas y documentación con base en objetivos generales y específicos por día.**
5. **Vaciado de la información en hojas guías.***
6. **Redacción del reporte final de la investigación.**

* Ver anexo 8, p. 177-187.

Una vez obtenida la información final de la investigación preliminar, se podrá partir de esa realidad concreta para desarrollar una práctica educativa que se adapte a las necesidades específicas del lugar.

❹ EL PROYECTO

Contar con la descripción del proyecto nos permite tener claridad de lo que queremos lograr, plantear los objetivos que se quieren alcanzar, destacar las necesidades económicas y materiales para gestionarlas ante otras instancias o instituciones.

UN PROYECTO DEBE CONTENER:

a. **TÍTULO DEL PROYECTO** ■ Nombre que describa brevemente de qué se trata.

b. **ANTECEDENTES** ■ De dónde surge el proyecto.

c. **FUNDAMENTACIÓN** ■ Tomando como base el resultado de la investigación preliminar, especificar por qué es importante implementar el proyecto.

d. **LOCALIZACIÓN FÍSICA** ■ Determinar el área en donde se ubicará el proyecto.

e. **OBJETIVOS** ■ Indicar el destino del proyecto, es decir, enunciar *para qué* se hace. Puede haber un objetivo general que abarque todo el proyecto y objetivos específicos por cubrir con las actividades.

f. **METAS** ■ Aquí se mencionan los servicios que se prestarán o las necesidades que se cubrirán, contestando con cantidades ¿cuánto se quiere hacer?, especificando la población que será atendida o beneficiada, es decir, ¿cuánto se quiere alcanzar con cada objetivo? Estos datos son los indicadores base para la evaluación.

g. **METODOLOGÍA Y TÉCNICAS** ■ Especificar cómo se va a realizar, qué instrumento metodológico se va a utilizar para la realización de las diferentes tareas.

h. **ACTIVIDADES Y TAREAS** ■ Con esto se concreta la realización de un proyecto. Para ello se tiene que explicitar la forma en que se organizan, complementan y coordinan las diferentes actividades y tareas. Es definir las actividades por sus objetivos y metas específicos, las tareas, los recursos que se requieren, la duración y quién será la responsable de cada actividad.

i. **DETERMINACIÓN DEL PRESUPUESTO** ■ Es responder ¿con qué? En el proyecto se especifican tres tipos de recursos: humanos, materiales y financieros. (Ver página 18.)

j. **SEGUIMIENTO** ■ Se debe especificar de qué manera se va a seguir o controlar el desarrollo del proyecto. (Ver página 148-155.)

k. **EVALUACIÓN** ■ Definir los tiempos y formas para comprobar la eficacia o efectividad de las actividades, a la luz de los objetivos. (Ver página 148-155.)

UN EJEMPLO SIMPLIFICADO DE PROYECTO PODRÍA SER:

a. TÍTULO DEL PROYECTO ■ *Estancia Infantil San José del Río.*

b. ANTECEDENTES ■ *En la colonia San José del Río muchas mujeres tenemos que trabajar fuera de las casas y no hemos encontrado un lugar seguro donde dejar a nuestros hijos pequeños. Por tal motivo nos empezamos a reunir con otras personas para buscar una solución a nuestras necesidades, se consiguió un local prestado, en la calle Sor Juana...*

c. FUNDAMENTACIÓN ■ *En la colonia existen más de 150 niños menores de seis años, que se quedan solos en las casas o acompañados de hermanitos un poco más grandes, mientras que sus padres salen a trabajar fuera, además de...*

d. LOCALIZACIÓN FÍSICA ■ *El local se ubica en la calle Sor Juana, manzana 34, lote 6, en la colonia San José del Río, que tiene límites al norte con:...; al sur:...; al este con:...; al oeste con:...*

e. OBJETIVOS GENERALES

- *Dar atención a niñas y niños de seis meses a seis años de edad, condiciones en donde se puedan desarrollar integralmente.*
- *Lograr una capacitación y actualización permanentes para las educadoras de la comunidad.*

f. METAS

- *Atender a 60 niños y niñas de la colonia.*
- *Lograr la integración de la familia en el proceso educativo.*
- *Contar con educadoras capacitadas.*
- *Contar con familias que se involucran regularmente en las actividades de la Estancia.*

g. METODOLOGÍA Y TÉCNICAS ■ *Sistema de Educación Integral Popular.*

h. ACTIVIDADES ■

ACTIVIDADES	OBJETIVOS ESPECÍFICOS	METAS ESPECÍFICAS	TAREAS	RECURSOS	TIEMPO	RESPONSABLE
Inscripción a un curso básico Observación del trabajo de otras estancias	Obtener capacitación como educadora	Tomar un curso básico	Asistir diario al curso Asistir a otras estancias	Una institución que nos capacite Otras estancias infantiles	Dos semanas Una semana	Margarita Juana
Elaboración de materiales	Contar con material educativo	Tener un equipo de materiales y juguetes	Conseguir materiales de reuso Comprar equipo de trabajo	Materiales de reuso Equipo de trabajo	Dos semanas Dos semanas	Lupe Margarita
Preparación del ambiente	Tener un ambiente de trabajo adecuado para los niños	Montar los dos ambientes de trabajo	Acondicionar el local Pintar Conseguir mobiliario Acomodar el material educativo	Materiales y herramientas Pintura y brochas Mobiliario Equipo de materiales educativos	Cuatro semanas	Leticia
Etcétera	—	—	—	—	—	—

Determinación del presupuesto

La concepción del trabajo comunitario que se realiza en ambientes populares implica generalmente un aporte de trabajo voluntario y de apoyo mutuo. Sin embargo, es necesario contar con recursos económicos suficientes que permitan el desarrollo del proyecto, su conservación y mantenimiento, el salario de las educadoras, la alimentación de los niños, etcétera. En este sentido, es necesario definir un presupuesto que considere tanto los aportes de la comunidad como los recursos externos que se necesitan.

En el presupuesto se detallan los recursos y el costo del proyecto, para:

- Determinar los recursos con los que se cuenta.
- Determinar los tipos de gastos que se realizarán y los montos necesarios para llevar a cabo las actividades del proyecto.
- Dar a los posibles donantes una idea de los recursos externos que se requieren para alcanzar los objetivos.
- Facilitar la evaluación del costo de la consecución de los objetivos.

EL PRESUPUESTO DEBE CONSIDERAR:

- **El pago a educadoras.**
- **Costo del local (renta o pagos mensuales por adquisición, mantenimiento)**
- **Equipo y mobiliario**
- **Materiales educativos**
- **Alimentación**
- **Impuestos**
- **Servicios**
- **Seguro escolar**
- **Otros costos o imprevistos. (Se considera 5% del monto total para este rubro)**

Generalmente, el presupuesto se prepara después del proyecto, a fin de incluir el costo de todas las actividades previstas. Una vez asignados los montos, el presupuesto se convierte en el punto de partida para la gestión de los aspectos financieros. Cuanto más específico y detallado sea el presupuesto, más fácil será justificar cada gasto. También se puede hacer un presupuesto resumido de los rubros o categorías principales, para tener una idea general de costos y gastos. A continuación se presenta un ejemplo para la formulación del presupuesto:

PRESUPUESTO SINTETIZADO PARA UN AÑO

CONCEPTO	RECURSOS CON LOS QUE SE CUENTA	APORTES DE FAMILIAS Y COMUNIDAD	COSTO ANUAL TOTAL	FONDOS SOLICITADOS
Salarios				
Costo del local				
Equipo y mobiliario				
Materiales educativos				
Alimentación				
Impuestos				
Servicios				
Seguro escolar				
Otros costos o imprevistos				
Total				

5 LA CAPACITACIÓN DEL EQUIPO DE TRABAJO

Si queremos lograr un desarrollo integral de niños y niñas, es igualmente importante que el equipo de trabajo esté bien preparado para realizar sus funciones.

La capacitación del equipo tiene como propósito recuperar la experiencia de los integrantes, de sus problemas, necesidades y características, así como reflexionar sobre los objetivos que nos estamos planteando y cómo podemos abordarlos, para así partir de la práctica a la reflexión y regresar a ella enriqueciéndola.

La capacitación nos permite valorar y potenciar las experiencias y conocimientos que se tienen; aprovechar la información como medio para lograr el intercambio de conocimientos y obtener seguridad y confianza en las actividades que desarrollamos.

En la capacitación se deben revisar no sólo los aspectos relacionados con la educación infantil, sino también otros conceptos, como son: la situación de las mujeres, la administración de una estancia infantil, alimentación adecuada para los niños, cómo fortalecer la autoestima; cuáles son las necesidades de la comunidad, de los niños y niñas, etcétera.

Para lograr una buena capacitación, ésta también debe ser integral, donde se desarrollan todas las habilidades y potencialidades de cada persona.

Algunos aspectos de la formación son las siguientes:

Reflexionar sobre la práctica, analizarla y regresar a ella enriqueciéndola.

- *Participar permanentemente en cursos, talleres, foros o reuniones*, en donde se traten temas con relación a las necesidades de los niños y educadoras, para adquirir nuevos conocimientos que podamos aplicar en nuestro trabajo diario. Esto permite descubrir nuevas posibilidades propias y de los demás, intercambiar experiencias, cooperación, integración de equipo.
- *Realizar lecturas* para tener mayor información sobre temas relacionados con el trabajo; comprender mejor lo que hacemos, adquiriendo así más herramientas para que, posteriormente, con esa experiencia, pueda apoyarse la capacitación de otras educadoras.
- *Aprender de la experiencia* con las familias, los niños y la comunidad. Esto nos permite tomar conciencia de lo que hacemos, sentimos y vivimos cotidianamente; reflexionar sobre los logros y las dificultades que se presentan; adueñarse de la experiencia; responsabilizarse de los propios actos; adquirir confianza, conocimientos, habilidades o destrezas a través de la práctica.

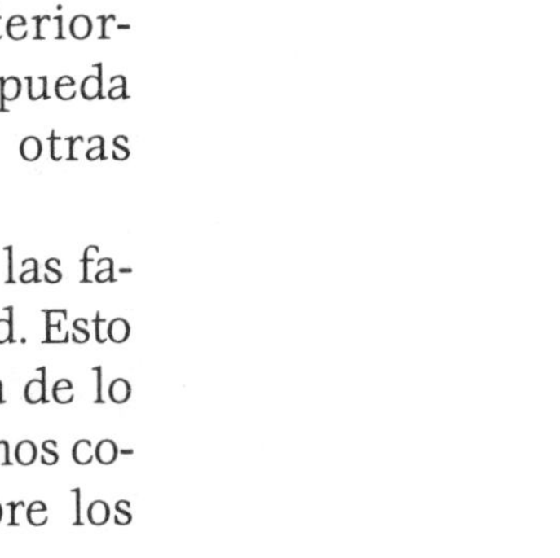

SEGUNDA PARTE: EL TRABAJO CON LAS NIÑAS Y LOS NIÑOS EN UNA ESTANCIA INFANTIL COMUNITARIA

CONCEPTOS BÁSICOS

1. EL PAPEL DE LA EDUCADORA

Tu labor como educadora dentro de una Estancia es muy importante. Es necesario que te capacites constantemente, viviendo tu práctica como fuente de reflexión y aprendizaje que más adelante podrás compartir con tus compañeras y con otras educadoras; tu trabajo es un compromiso en la lucha por los derechos de las niñas y niños, de las familias, de la comunidad.

EN LA ESTANCIA LA EDUCADORA:

PREPARA EL AMBIENTE

Es decir, cuida el salón, los juguetes, ejercicios y actividades. Elabora el material, planea las actividades, mantiene el salón atractivo, ordenado y limpio. Prepárate tú misma, cuidando tu presentación, estudiando y reflexionando.

CREA SITUACIONES DE APRENDIZAJE

Aprovecha todos los momentos que se presentan, por ejemplo, si está lloviendo, anima a investigar y platicar sobre la lluvia; si están poniendo la mesa, anima a contar el número de platos que deben poner; aprovecha la ropa para conocer los colores, etcétera.

OBSERVA

Ve atentamente las conductas de cada uno de los niños y del grupo, descubre sus verdaderas necesidades y posibilidades para poder responder a ellas.

ESTÁ PRESENTE

Estar con los niños es estar con tus acciones y tu pensamiento, con interés y afecto. Que tu presencia sea respetuosa y permita la libertad.

ANIMA

A los niños a trabajar sin forzarlos, a desarrollar sus aptitudes y vencer sus dificultades.

CUESTIONA

Pregunta a los niños acerca de lo que están haciendo o diciendo. La educadora no es la que sabe todo, es la que confronta siempre para ayudar al niño a crecer, a buscar sus propias conclusiones, a llegar a un nivel más alto de conocimiento y madurez.

2. LAS TÉCNICAS EDUCATIVAS

Las técnicas son las formas que la educadora utiliza para poner al niño en contacto con los estímulos, juegos y juguetes.

a) Técnicas para trabajar con los niños pequeños

Acción directa
Nos referimos a todos los movimientos y actitudes que la educadora realiza con los niños para ponerlos en contacto con el estímulo. Por ejemplo, pone un objeto dentro de su campo visual y lo mueve lentamente para que lo siga con la mirada.

Sugerencia
Es la acción de poner al alcance del niño, de su vista, de su oído, de su cuerpo, un estímulo para que atraiga su atención e interactúe con él: lo vea, lo escuche, lo toque, lo manipule, lo explore y experimente todas sus posibilidades. La sugerencia puede ir acompañada, a veces, de palabras de ánimo. Puede estar acompañada o no de la presencia de la educadora. Se emplea, por ejemplo, cuando se le acerca un juguete o se le rueda una pelota para llamar su atención.

Presentación
Es la acción que la educadora hace frente al niño para que éste la repita. Por ejemplo, mostrar cómo decir adiós, cómo bailar y todas las *gracias* que lo van a ayudar a descubrir las posibilidades de su cuerpo en relación con otros.

La explicación verbal
Es una presentación o actividad que se realiza con el niño, acompañada de palabras. Se utiliza para ayudar al niño a la mejor comprensión de los movimientos ejecutados, pero, sobre todo, para ampliar el vocabulario, estimular la buena articulación o favorecer la sintaxis.

La explicación verbal puede usarse sobre todo con los niños que ya empiezan a hablar.

También puedes emplear *la acción dirigida* y *el juego del nombre*, que se describen en las técnicas para preescolares.

b) Técnicas para trabajar con los niños preescolares

La confrontación

Es la forma habitual de acercamiento al niño, que se aplica en todas ocasiones, con todos los estímulos, actividades y materiales. Se trata de preguntarle al niño sobre lo que hace o dice, para que reflexione sobre ello, para impulsarlo a comparar, a ordenar, a descubrir *algo más* a partir de lo que ya conoce.

Se le pueden hacer preguntas como: «¿Por qué lo hiciste de esa manera?», «¿de qué otra forma puedes hacerlo?», «¿qué te gustó más de lo que hiciste?», o cualquier otra pregunta que lo ayude a reflexionar más profundamente sobre su trabajo, la manera como lo realizó, el sentido del mismo y su propio sentimiento respecto a él.

Es también muy importante motivar a los niños para que trabajen en equipo y resuelvan sus dudas entre ellos, ya que el conocimiento no es sólo fruto de la acción individual, sino que requiere el enriquecimiento por parte de otros. Así, estaremos reforzando la construcción de su autonomía, al no imponer el punto de vista del adulto.

La presentación

Consiste en realizar el ejercicio delante de un niño o grupo, mostrando cada uno de los pasos para trabajar con el estímulo. Este modelaje tiene sentido únicamente como punto de partida para que el niño encuentre después su propia manera de hacerlo.

La sugerencia

Es una invitación que la educadora hace al niño para que haga uso del estímulo o realice una acción, sin indicarle cómo hacerla.

La acción dirigida

Consiste en indicar verbalmente al niño, paso a paso, las acciones que se tienen que realizar en la ejecución de la actividad, sin que la educadora las realice. Esta técnica, además de ponerlo en contacto con el estímulo, lo ayuda a seguir órdenes, primero muy simples y luego más complejas. Se utiliza en actividades y juegos con reglas preestablecidas.

La lección

Es una explicación sencilla, juego, lectura, platica o cuento que la educadora da o hace a un grupo de niños sobre algún tema. Por ejemplo, habla a los niños sobre la lluvia; lee un libro sobre los monos; cuenta el cuento de *Los tres ositos*; comenta sobre lo que vieron en el paseo, etcétera.

La explicación verbal

Es una *presentación* acompañada de palabras. Puede usarse cuando al niño no le quedan claros algunos pasos de una presentación; por ejemplo, se le puede indicar que la goma del gotero se presiona y después se suelta para que entre el agua.

El juego del nombre

Más que una técnica, es un juego para ayudar al niño a *memorizar* nombres de objetos o sus cualidades, como colores, formas, letras. Puedes hacerlo así:

- Se ponen dos objetos sobre el tapete, como una tableta de color azul y otra roja.
- La educadora toma la tableta azul y dice «azul», e invita al niño a repetir el nombre.
- Toma la tableta roja y dice «rojo», e invita al niño a repetir el nombre.
- La educadora pide al niño que coloque el azul o el rojo en distintos lugares: «Pon aquí el azul», «pon acá el rojo», «pon el azul en tu mano», «pon el rojo en el tapete»; lo hace así varias veces, señalando diferentes lugares.
- La educadora toma la tableta azul y pregunta: «¿Cómo se llama?», después toma la tableta roja y pregunta «¿Cómo se llama?».

Más adelante puede aprender otros colores, como el verde o el café. Para hacerlo pueden jugar con un color conocido y uno nuevo; por ejemplo, el rojo que ya conoce, y el verde, que es nuevo, introduciendo sólo uno cada vez.

Los padres de familia nos confían a sus hijos para que los apoyemos en su desarrollo integral; y buscando dejar a sus hijos en un lugar seguro.

La responsabilidad que adquirimos al recibir a un niño en la Estancia es muy grande y debemos estar conscientes de ello. Es importantísimo cuidar todos los elementos que tienen que ver con su seguridad física.

En la vida cotidiana de las estancias existen riesgos para la seguridad de los niños y de las educadoras mismas, a los que a veces no damos mucha importancia, pero que sin embargo están presentes: frascos con sustancias peligrosas al alcance de los niños, alambres, clavos, etcétera. En el patio donde juegan puede estar una tabla mal recargada, tanques de gas defectuosos, la cisterna mal tapada... También tienen que prevenir cómo actuar en situaciones de desastre, como sismos, incendios, tormentas.

Es necesario reflexionar seriamente sobre todo aquello que puede llegar a ser un riesgo, buscando alternativas para prevenir y en lo posible evitar los accidentes, así como estar preparadas para enfrentar adecuadamente las situaciones que lleguen a presentarse. A nosotras nos toca crear un ambiente libre de peligros.

EVITAR RIESGOS

- Tienen que ser muy meticulosas al considerar los elementos de posible riesgo: enchufes, gas, ventanas, tijeras, cuchillos, sustancias peligrosas y agujas. Todos estos deben estar fuera del alcance de los niños y vigilar su uso.
- En lo que toca a medicamentos, tener como norma *nunca* dar una medicina (ni siquiera una aspirina) sin prescripción del médico. Cuando un niño está tomando un medicamento por indicación médica, cuidar estrictamente los horarios señalados para darlo.
- En cuanto a los niños, recordar que los pequeños están en una etapa de chupar, morder, rasguñar, aventar, y ellos mismos pueden ser un riesgo para los compañeros, por lo que se requiere una observación atenta y cuidadosa.
- Al salir a una visita, mantener a todos los niños juntos, siempre saber cuántos niños llevan, contarlos varias veces durante la visita y de preferencia hacerse acompañar de varios adultos. Hay que hacer un recorrido previo al lugar para conocerlo y anticipar los posibles riesgos.
- Es pertinente hacer simulacros. Pueden solicitar apoyo a la Delegación o a algún centro especializado en estos casos. Se debe hacer una revisión del local, así como colocar extinguidores. Esto, además de ser imprescindible en caso de que se presente una situación de desastre, forma en los niños una actitud mental de prevención para toda su vida.
- Cuando se presenta una situación de accidente o contingencia ambiental, es necesario conservar la calma y actuar con serenidad.

MEDIDAS DE HIGIENE

Para disminuir el riesgo de que se presenten enfermedades e infecciones dentro de la Estancia, tengan presentes y sigan estas reglas de limpieza:

- Lavarse las manos con agua y jabón antes de preparar alimentos, antes de comer, después de hacer cada cambio de pañal y después de ir al baño.
- Mantener las uñas cortas al ras.
- Cuidar que los niños se laven las manos antes de preparar alimentos, antes de poner la mesa, antes de comer, después de que les cambies el pañal o después de ir al baño.
- Bañarse diariamente, sobre todo cuando hace calor, tanto niños como educadoras.
- Cuidar que niños y educadoras se laven los dientes después de cada comida.

PRIMEROS AUXILIOS

BOTIQUÍN BÁSICO

- **Algodón**
- **Agua oxigenada**
- **Gasa esterilizada**
- **Tela adhesiva**
- **Jabón desinfectante o neutro**
- **Bandas adhesivas**
- **Termómetro**
- **Vendas**
- **Guantes de látex**

Cuando salgan de paseo o a una visita, lleven con ustedes este botiquín, para atender a los niños en caso de accidente leve.

En ocasiones, a pesar de nuestro cuidado, se presentan accidentes o enfermedades. Quizá sea necesario acudir a un médico o institución y dar aviso a la familia. Para esto es necesario tener a la mano un directorio con el nombre y domicilio de personas que puedan auxiliar, como pueden ser centro de salud, médico comunitario u otros con los que previamente hayan platicado y acordado dar atención a los niños. También deben conocer las formas de atención en caso de fracturas, descalabraduras, introducción de objetos por nariz u oídos.

De inmediato dar primeros auxilios si es indispensable, lavándose muy bien las manos y poniéndose los guantes antes de atender al niño.

Para raspones y heridas pequeñas

- Lavar muy bien la herida, con agua hervida fría y con jabón neutro, cuidando de no lastimar al niño.
- Para que la herida sane, es necesario que quede completamente limpia, pues cualquier basura o resto de polvo puede causar una infección.
- No usar alcohol, ya que esto molesta mucho al niño y es poco efectivo para evitar infecciones; con el jabón o agua oxigenada es suficiente

Para heridas grandes

Una herida grande requiere atención inmediata del médico; sólo en caso de que esto no sea posible de inmediato, puedes hacer lo siguiente:

- Lavar la herida con abundante agua hervida fría y jabón neutro, asegurándote de que no quede polvo o basura dentro de la herida.
- Si sangra mucho, presionar entre la herida y el corazón.
- Si es en el brazo o pierna, levantárselo para que quede más alto que el corazón, hasta que deje de sangrar.
- Cerrar la herida con mariposas de tela adhesiva.
- Acudir lo más pronto posible al médico.

Debes recordar que la mayoría de los accidentes se puede evitar.

Tener a la mano un directorio con el nombre, teléfono y domicilio de personas que puedan ayudar en caso de accidente o enfermedad.

Para poder recibir a los niños en la Estancia es indispensable que se le hayan aplicado las vacunas que corresponden a su edad.

Para quemaduras leves

- Lavar con agua fría durante varios minutos.
- Mantener limpia la herida hasta que sane.
- No cubrir.
- Proteger del polvo y del sol.
- Si se infecta, acudir al médico.

Para golpes

- Aplicar hielo durante 10 o 15 minutos (se puede envolver el hielo en una toalla para no lastimar la piel).
- Aplicar un poco de miel de abeja.
- No dar masaje en la zona.

Calentura o fiebre alta

Si alguno de los niños llega a la Estancia con fiebre lo debemos regresar de inmediato a su casa, recomendándole a sus padres que lo lleven al médico. Si la calentura se inició en la Estancia, se puede hacer lo siguiente:

- Llamar a sus familiares, para dar aviso y que vayan por él.

- Bañarlo con agua fresca o frotarlo con alcohol.
- Mantenerlo fresco, con poca ropa.
- Evitar enfriamientos.
- Darle mucha agua o jugo de frutas.

ESQUEMA BÁSICO DE VACUNACIÓN DEL PROGRAMA NACIONAL DE INMUNIZACIONES

Vacuna	Núm. de dosis	Edad 1a. dosis	Intervalo entre dosis
BCG	1	Recién nacido*	
DPT	3	2 meses	2 meses **
Sabin	3	2 meses	2 meses **
Antisarampión	2	9 meses	5 años

* Si al niño no se le aplica esta vacuna al nacer, se le deberá administrar en el primer contacto con los servicios de salud.

** Si no se llevó al niño a su siguiente dosis con puntualidad, y han pasado entre la 1ª y 2ª dosis 6 meses o entre la 2ª y 3ª dosis más de un año, se debe reiniciar el esquema.[1]

[1] Sistema Nacional de Salud / UNICEF, *Manual del vacunador*, México, D.F.

VACUNACIÓN

Uno más de los aspectos que debes cuidar es el control de vacunas de los niños y niñas que asisten a la Estancia, como medida de protección para todos.

Es necesario que conozcas qué vacunas requieren y cuándo se les deben aplicar, para que cuides que cada niño complete su esquema básico de vacunación.

La vacunación es una forma segura y efectiva de que el organismo se defienda de ciertas enfermedades desarrollando anticuerpos, mediante la introducción de microorganismos vivos atenuados, o bien de microorganismos muertos que no pueden causar la enfermedad.

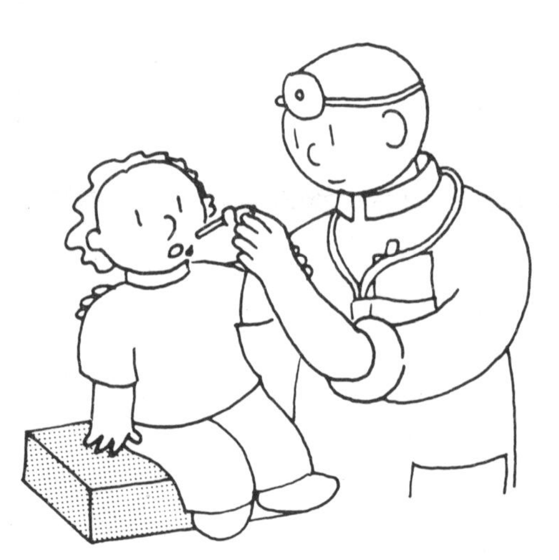

Para poder recibir a un niño en la Estancia es indispensable que se le hayan aplicado las vacunas que corresponden a su edad.

Las vacunas básicas que se requieren son:

- DPT, también llamada Triple. Protege contra la difteria, la tos ferina y el tétanos.
- TOXOIDE TETÁNICO. Protege contra el tétanos.
- ANTIPOLIOMIELÍTICA o Tipo SABIN. Protege contra la poliomielitis o parálisis infantil.
- BCG O ANTITUBERCULOSA. Protege contra la tuberculosis.
- ANTISARAMPIONOSA. Protege contra el sarampión.

4. LOS GRUPOS DE EDAD

Reconocer las etapas en el desarrollo de los niños nos sirve para tener una pauta acerca de cómo va su desarrollo, de manera que podamos ayudarlos sin compararlos con otros.

Por ello dentro de las Estancias Infantiles hemos separado a los niños en dos grupos de edad, conforme a sus características:

- Niñas y niños pequeños: de los seis meses a los tres años de edad.
- Niñas y niños preescolares: de los tres a los seis años de edad.

Cabe señalar que los grupos son mixtos en edad y sexo, porque consideramos importante la convivencia entre ellos, ya que los niños pequeños aprenden de los más grandes y los grandes ayudan y estimulan a los pequeños. Por ejemplo, en el grupo de niños pequeños, un niño que gatea se interesa en caminar al ver a los que ya lo hacen; o en el grupo de preescolares, un niño de tres años se interesa en la lectura porque ve a un niño mayor tratando de leer un cuento.

SEGUNDA PARTE: EL TRABAJO CON LAS NIÑAS Y LOS NIÑOS EN UNA ESTANCIA INFANTIL COMUNITARIA

LAS NIÑAS Y LOS NIÑOS PEQUEÑOS DE SEIS MESES A TRES AÑOS

En estos primeros años el desarrollo del cuerpo, de las habilidades, de los afectos y de los conocimientos es muy rápido. A un niño de tres meses lo llevamos en brazos; en cambio, al año ya camina por sí mismo. El niño de un año dice unas cuantas palabras, pero el de dos y medio dice ya cientos de palabras y construye oraciones completas.

Los niños pequeños van teniendo necesidades de movimiento distintas. Cada día necesitan un espacio físico mayor, con más retos, con más posibilidades de independencia. Para responder a estas necesidades, hemos dividido el salón de los niños pequeños en tres ambientes, ya sea que estén en el mismo espacio físico, dividido por algún barandal o mobiliario, o que estén en salones diferentes, compartiendo algunos espacios comunes. Esta división le dará a cada grupo mayores posibilidades para conocer su cuerpo, para probar sus capacidades y explorar el espacio con mayor seguridad. Así, los ubicamos en:

PEQUEÑOS 1. Antes de caminar (aproximadamente de los seis a los doce meses de edad)
PEQUEÑOS 2. Cuando comienzan a caminar (aproximadamente de los 12 a los 20 meses de edad)
PEQUEÑOS 3. Cuando ya caminan con seguridad (aproximadamente de los 20 a los 36 meses)

En cada uno de estos ambientes puede haber un máximo de 12 niños atendidos por dos educadoras.

En estos tres primeros años de su desarrollo, el niño va a obtener habilidades y conocimientos fundamentales para toda su vida, como reconocer a las personas que están junto a él, conocerse, aprender formas de mostrar su afecto y sus emociones, caminar, hablar, correr, hacer cosas por sí mismo.

En el *Ambiente de Pequeños 1*, los niños que aún no caminan están centrados en el descubrimiento y conocimiento de su propio cuerpo; les interesa tocarse, aprender a moverse para mirar; alcanzar objetos y personas de su interés, rodando, arrastrándose, gateando; es el periodo de la conquista de su cuerpo.

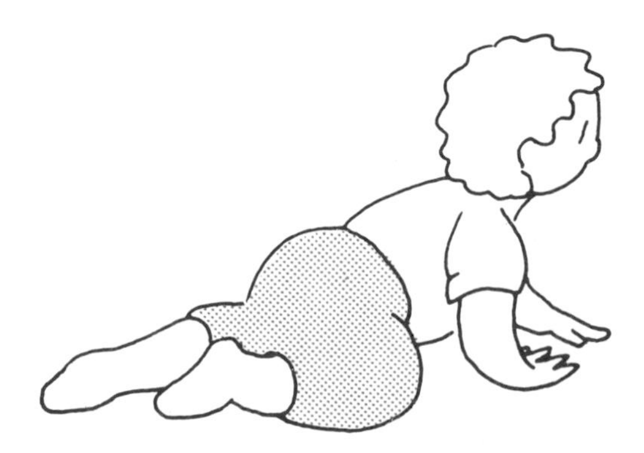

1. CÓMO SE PREPARA EL AMBIENTE PARA LAS NIÑAS Y LOS NIÑOS PEQUEÑOS

El ambiente debe ayudar al movimiento libre y la exploración, así como facilitar el encuentro entre niños y niñas y con la educadora.

Con los niños pequeños consideramos tanto espacios tranquilos (para rodar, voltearse, dormir, comer o dar masajes) como espacios de movimiento (para gatear, caminar, construir, correr o brincar). También es muy importante contar con un espacio exterior, ya sea un patio, una terraza o un jardín.

Si en la Estancia cuentan con varios salones, elijan para los pequeños aquellos que tengan menos ruido, mejor ventilación y clima más agradable.

Cuando han elegido las áreas interiores y exteriores que se van a destinar para el uso de los pequeños, pueden empezar a colocar los muebles para distribuir las áreas y los ambientes. Van a necesitar poco mobiliario, ya que la mayoría de las actividades se realiza directamente en el piso, tanto por la seguridad como por la independencia del niño.

Cerca del año de edad, los niños del *Ambiente de Pequeños 2* comienzan a caminar. Ahora exploran las posibilidades de su cuerpo estando de pie, esforzándose por lograr el equilibrio.

En el *Ambiente de Pequeños 3*, alrededor del año y medio, cuando ya caminan con seguridad, los niños ya conocen su cuerpo y dominan las habilidades básicas como gatear, pararse, sentarse, caminar; están ahora más interesados en el espacio que los rodea; éste es el momento de conquistarlo llegando a todos los rincones.

El ambiente debe ayudar al movimiento libre y la exploración, así como facilitar el encuentro entre niños y niñas y con la educadora.

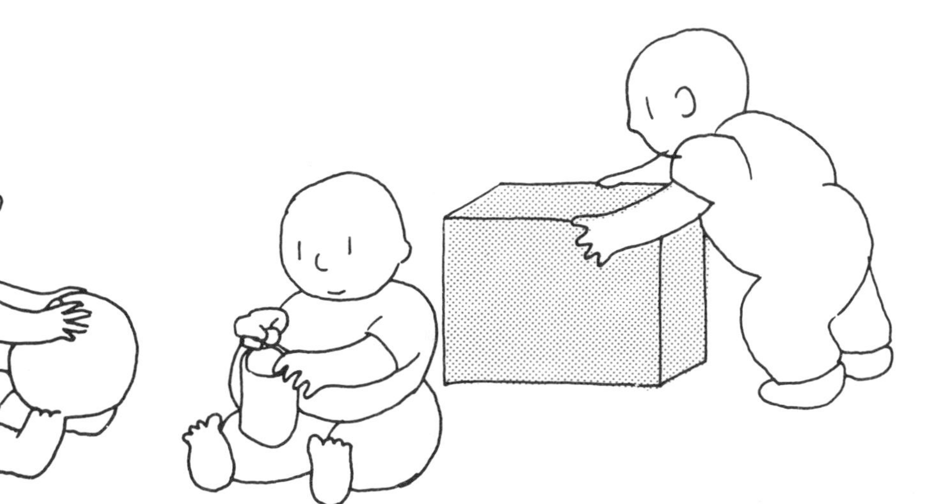

LO QUE VAN A NECESITAR PARA PREPARAR EL AMBIENTE

- Lavabo —si tienen agua corriente— o una cubeta y una palangana.
- Excusado a la altura de los niños —si tienen agua corriente— o una bacinica.
- Barandal de madera o metal, de aproximadamente 50 cm de altura y de diversos largos, según el tamaño del salón.
- Varios estantes, huacales o repisas.
- Dos o tres mesas de aproximadamente 70 cm de ancho x 90 cm de largo x 42 cm de altura.
- Varias sillas de aproximadamente 20 cm de altura.
- Silla para bebé.
- Uno o dos bancos de 40 cm de ancho x 40 cm de largo x 20 cm de altura.
- Barra de madera de aproximadamente 7 cm de diámetro de espesor y del largo del salón (ver «Juegos y juguetes», páginas 45 y 52).
- Túnel (ver «Juegos y juguetes», página 46).
- Casita (ver «Juegos y juguetes», página 61).
- Cuatro espejos —si es posible, de material irrompible— de aproximadamente 40 x 100 cm (ver «Juegos y juguetes», páginas 46 y 58).
- Escalera (ver «Juegos y juguetes», página 52).
- 5 a 8 tapetes de aproximadamente 80 x 80 cm (de alfombra, plástico, yute, etcétera).
- Caja grande para guardar los tapetes.
- Perchero.
- Colchonetas para dormir, sábanas y cobijas delgadas (cada niño lleva su propia ropa de cama).
- Colchoneta de plástico para el cambio de pañal.
- Colchoneta delgada para masajes.
- Utensilios para la comida —cucharas, tazas, platos— (cada niño lleva lo que va a necesitar).
- Calentador de biberones.
- Corcho o pizarrón, de aproximadamente 50 x 50 cm.
- Columpio o resbaladilla pequeña, opcional.
- Adornos para el salón (macetas con plantas naturales, móviles, ilustraciones, etcétera).
- Equipo de trabajo de carpintería y pintura.

Antes de montar el ambiente lijen y barnicen los muebles que sean de madera, para que no haya riesgo de lastimarse con las astillas. Fíjense que ningún mueble, clavo o punta filosa quede a la altura de la cara de los niños. Revisen muy bien cada uno de los objetos que van a colocar en el salón, cuidando que no tenga puntas filosas, cables pelados o cualquier otra cosa que pudiera resultar peligrosa. Lo que no sea adecuado, deséchenlo.

Con estos muebles y materiales van a crear los **tres ambientes** y las **áreas comunes** que se necesitan para el desarrollo de las actividades diarias.

El **Ambiente de Pequeños 1** es un área de poco movimiento, ya que los niños aún no caminan. Si van a recibir entre 10 y 12 niños de esta edad, el área debe ser por lo menos de 20 m^2.

Todo el lugar debe estar libre de muebles para que los niños se muevan con toda libertad y completa seguridad. Decórenlo con plantas naturales, móviles, ilustraciones grandes, que se irán cambiando a lo largo del año. Todos los adornos estarán a la vista, pero no al alcance de la mano del niño que está acostado, rodando, arrastrándose o gateando.

Fijen uno de los espejos a la pared. Allí mismo pueden también fijar la barra de madera. En otro lugar se pone el túnel, cerca también de una de las paredes. Los juguetes los pueden guardar en un estante fuera del alcance de los niños e irlos bajando conforme se vayan necesitando.

Coloquen también un estante para guardar la ropa y los pañales de cada niño, así como la colchoneta de plástico, el papel higiénico y el agua para el cambio de pañal. Si no hay agua corriente dentro del salón, pongan aquí, fuera del alcance de los niños la cubeta y la palangana para lavarse las manos después del cambio.

El Ambiente de Pequeños 1 *es un área de poco movimiento, ya que los niños aún no caminan.*

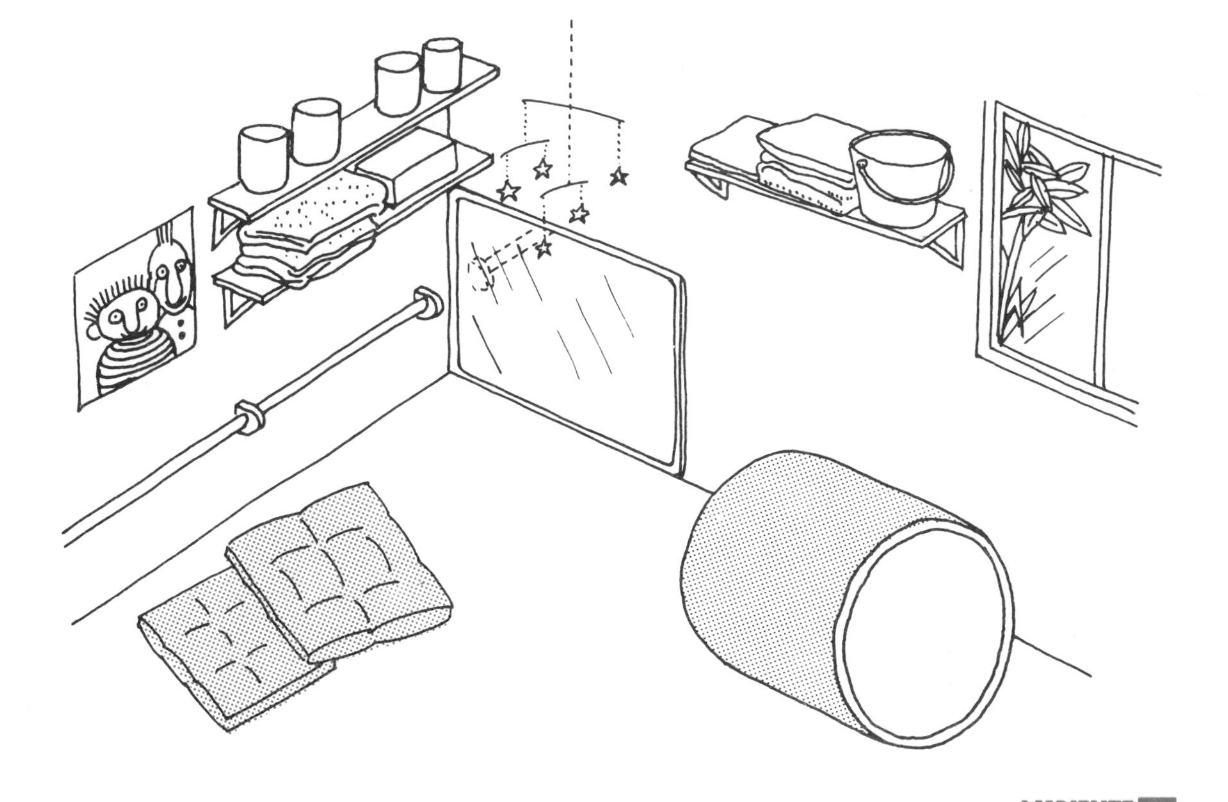

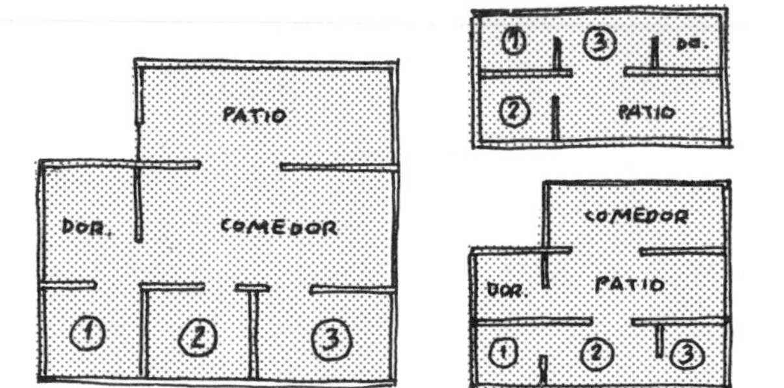

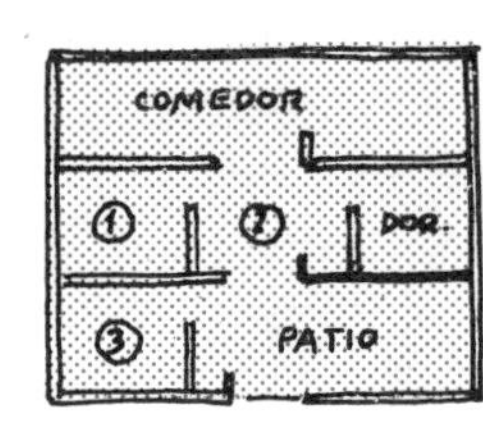

El Ambiente de Pequeños 2 *es un área de mucho movimiento, ya que los niños comienzan a caminar.*

El **Ambiente de Pequeños 2** es un área de mucho movimiento, ya que los niños comienzan a caminar.

Este espacio debe tener muy pocos muebles para que no estorben el paso de los niños. Decórenlo también con ilustraciones grandes, móviles o plantas que estén a la vista del niño que está de pie.

Pueden fijar una barra de madera a la pared y muy cerca de ésta un espejo, colocado de manera que puedan mirarse mientras se desplazan.

Coloquen la escalera pegada a una de las paredes. Los juguetes se guardan en un estante fuera del alcance de los niños para irlos tomando cuando vayan a ser utilizados.

Consideren aquí también el espacio para guardar la ropa y los pañales de los niños, la colchoneta de plástico, el papel higiénico y el agua para el cambio. También es muy importante tener cerca el lugar para lavarse las manos.

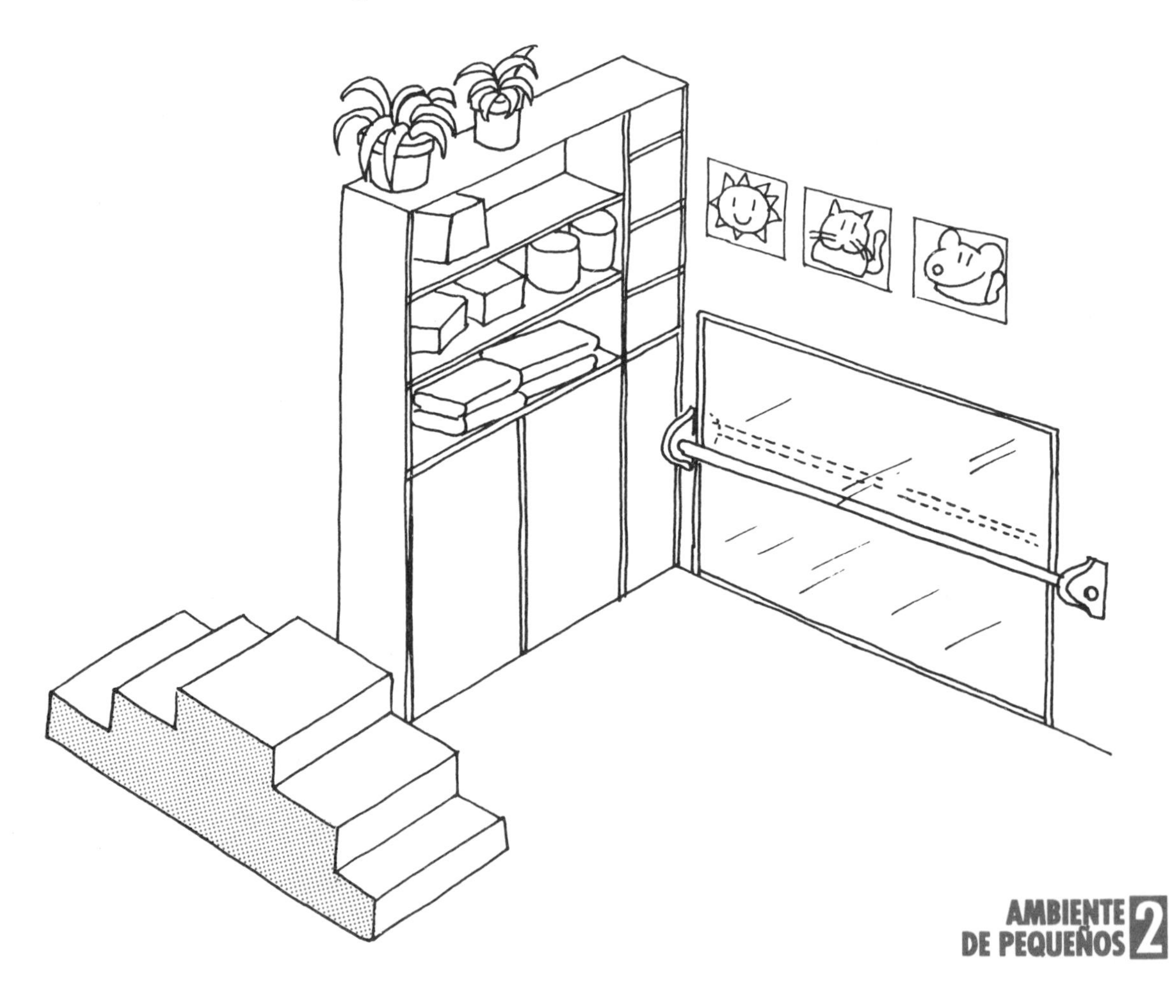

El **Ambiente de Pequeños 3** es un área de mucho movimiento. Se necesita espacio para caminar, para correr, para apilar bloques grandes, para llevar juguetes de un lado a otro, para aventar aros, para hacer juegos de grupo. Necesitarán un área bastante grande, por lo menos de 30 m^2, para atender a 10 o 12 niños.

La decoración puede incluir un espacio donde se colocan los dibujos realizados por los niños, además de móviles, plantas e ilustraciones que se cambiarán varias veces a lo largo del año. En una de las esquinas del salón fijen los dos espejos, cada uno sobre una de las paredes, de manera que los niños se puedan mirar de frente, de lado y de espaldas. Coloquen la casita cerca de una de las paredes.

El perchero se coloca al alcance de los niños, para que ellos mismos guarden sus bolsas y tomen lo que van necesitando durante el día.

Coloquen dos o tres estantes para guardar juguetes al alcance de los niños y otros dos o tres fuera de su alcance para tener los *repuestos* y *variaciones*.

Pueden dejar una mesa y una o dos sillas por si algún niño desea jugar sentado o apoyarse sobre la mesa, estando de pie.

En una esquina pueden poner la caja grande con los tapetes, de donde los tomarán los niños cuando deseen jugar en el piso con alguno de los estímulos.

Si no hay baño dentro del salón, coloquen la bacinica en un rincón y separen ese espacio por medio de una cortina. Este lugar sirve también para el cambio de pañal.

El Ambiente de Pequeños 3 *es un área de mucho movimiento. Se necesita espacio para caminar, para correr, para apilar bloques grandes, para llevar juguetes de un lado a otro, para aventar aros, para hacer juegos de grupo.*

En el espacio donde están las **áreas comunes** van a necesitar:

- *Un lugar para comer.* Para los niños que aún no se sientan solos necesitarán la silla para bebé, que se puede colgar de la pared cuando no se use y ponerla directamente sobre el piso cuando la van a utilizar.

  Pongan aquí las mesas y las sillas para los niños que ya se sientan y comen solos. Cuando terminen, las sillas se pueden colgar de la pared con alcayatas muy firmes o ponerse en la orilla del salón para que no estorben el paso.

  Todos los utensilios que van a necesitar para la comida se guardan fuera del alcance de los niños. Los platos, las cucharas, tazas, biberones, papillas y medicamentos deben estar marcados con el nombre de cada uno para facilitar su reconocimiento. En este lugar pueden colocar el corcho o pizarrón, donde anoten las indicaciones especiales para cada niño, como administración de medicamentos, dieta especial o los recados que se deban dar a la familia al final del día.
- *Un lugar para dormir.* Lo mejor es habilitar un salón exclusivamente para dormitorio; si no se puede, elijan el rincón más tranquilo y menos luminoso y protéjanlo con un barandal. Aquí se coloca una colchoneta para cada niño y se cubre con su sábana. Cada niño debe tener un lugar fijo para dormir, de manera que lo reconozca y se sienta seguro en él.
- *Un lugar exterior.* En el patio o jardín se necesita suficiente espacio libre para correr. Si hay desniveles, mejor, esto es un reto para los niños, incluso para los que gatean. También pueden poner el columpio y la resbaladilla en algún lugar donde puedan usarse con seguridad.

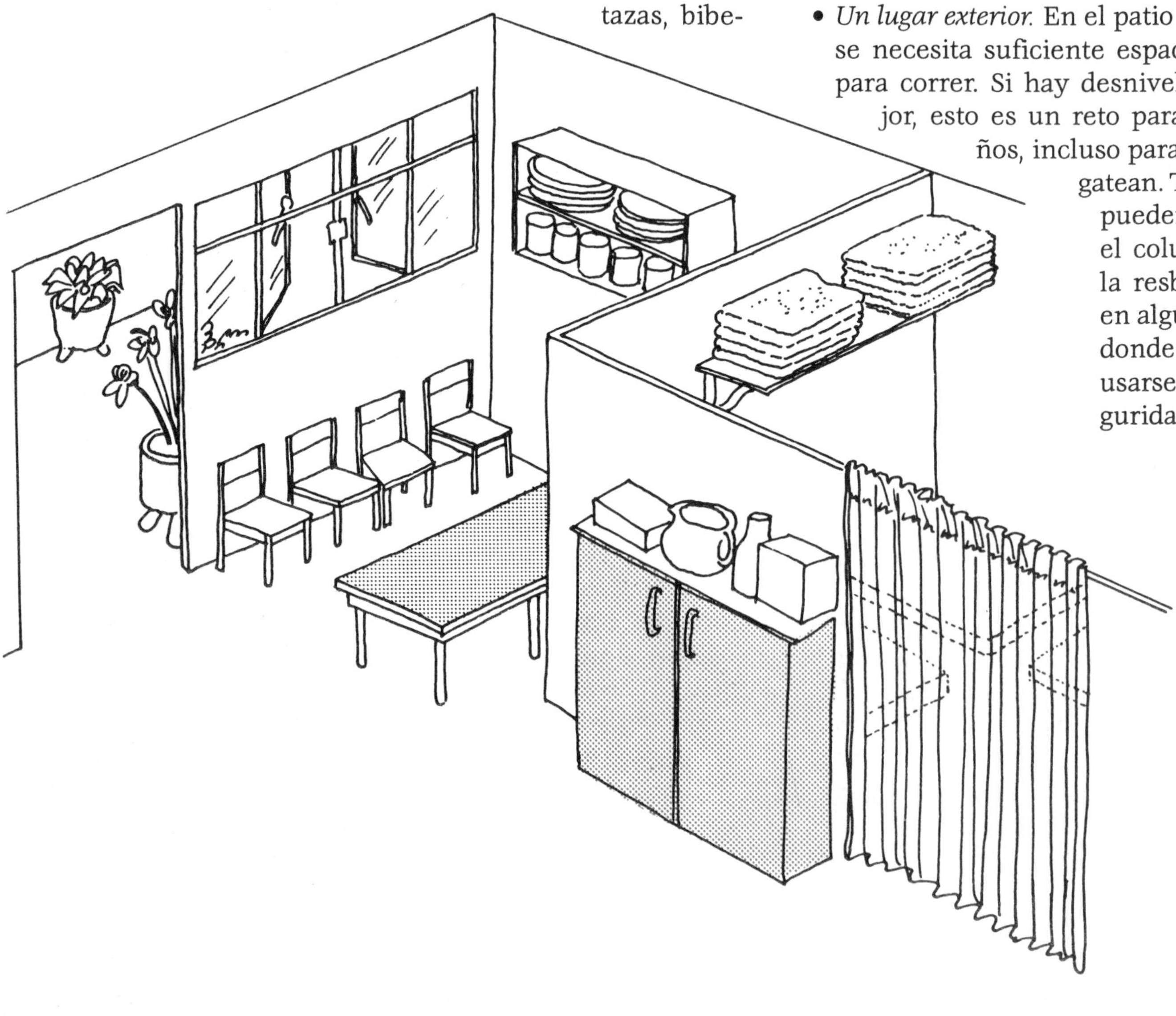

2. CÓMO ES LA RUTINA DE ACTIVIDADES PARA LAS NIÑAS Y LOS NIÑOS PEQUEÑOS

La rutina nos ayuda a respetar el ritmo personal de cada niña y niño en el logro de sus aprendizajes y habilidades.

La rutina para los niños pequeños debe ser muy *flexible*, tanto en sus objetivos como en las actividades y la secuencia de las mismas. La duración de cada actividad dependerá de la edad, el nivel de desarrollo y los gustos de cada uno de los niños. Sin embargo, *todas las actividades que se realizan tienen la misma importancia*, ya que cada una brinda distintas posibilidades de explorar el espacio y de relacionarse con las personas, con los objetos, con el ambiente que los rodea.

LA RUTINA QUE PROPONEMOS OFRECE A LOS NIÑOS Y NIÑAS LA POSIBILIDAD DE:

- **Descubrir, conocer y dominar su cuerpo**
- **Explorar el espacio con seguridad**
- **Jugar y explorar solo, con otros niños o con la educadora**
- **Recibir la satisfacción de sus necesidades básicas: afecto, alimento, sueño, limpieza, seguridad**

La rutina nos indica cuáles son las actividades que realizan las niñas y los niños en la Estancia:

ACTIVIDADES

1. Recepción o entrega
2. Cambio de pañal o control de esfínteres
3. Comida
4. Juegos individuales y de grupo
5. Masaje y ejercicios
6. Siesta

1. Recepción o entrega. Recibe al niño comunicándole tranquilidad, seguridad y alegría de estar con él.

Aprovecha el contacto con su familia para preguntarle acerca de su estado general: cómo durmió, si hay alguna indicación especial para la alimentación, si está tomando algún medicamento, etcétera. Es bueno que revises su bolsa para asegurarte de que no falte nada de lo que va a necesitar durante el día, como pañales, biberón, papilla o cambio de ropa.

Si el niño es muy pequeño, recíbelo en brazos; si ya camina, puedes darle la mano para acompañarlo al salón o dejarlo caminar solo, según lo prefiera. Cuando pueda, él mismo lleva sus cosas y las acomoda en su lugar. Recuerda que disfruta de poner en práctica sus habilidades y esto lo ayuda a tener seguridad en sí mismo e independencia de los adultos.

Cuando lo entregues, comenta brevemente con la familia cómo estuvo el niño durante el día, haciendo énfasis en su estado general, cómo durmió, cómo comió, si estuvo alegre o triste y las actividades que disfruta realizar o los logros que has notado. Si lo despides con afecto, tanto él como su familia estarán contentos de regresar al día siguiente.

La rutina nos ayuda a respetar el ritmo personal de cada niña y niño en el logro de sus aprendizajes y habilidades.

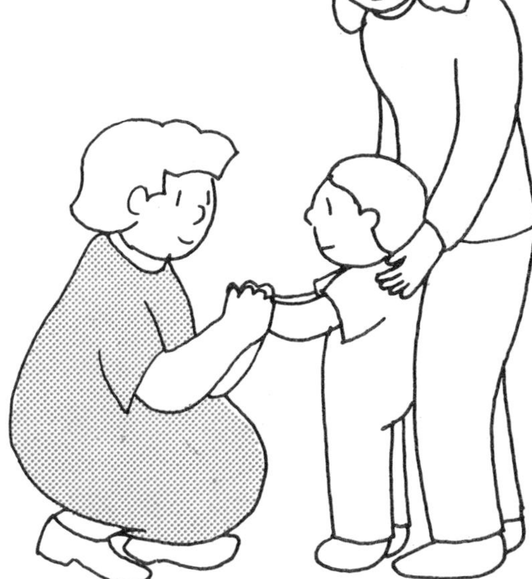

2. Cambio de pañal o control de esfínteres. Es importante que realices esta actividad con disposición y naturalidad, ya que tu actitud le dará al niño pautas acerca de cómo debe entender y sentir su propio cuerpo.

Para el cambio de pañal pon la colchoneta de plástico en el piso y cúbrela con la sábana, acuesta al niño sobre ella y siéntate frente a él, después de acercar todo lo que vas a necesitar. Cuando termines, regresa todo a su lugar y lávate muy bien las manos, para evitar llevar posibles contagios a otros niños o a ti misma. También es importante enseñar al niño, sobre todo a los más grandecitos, a lavarse las manos después del cambio.

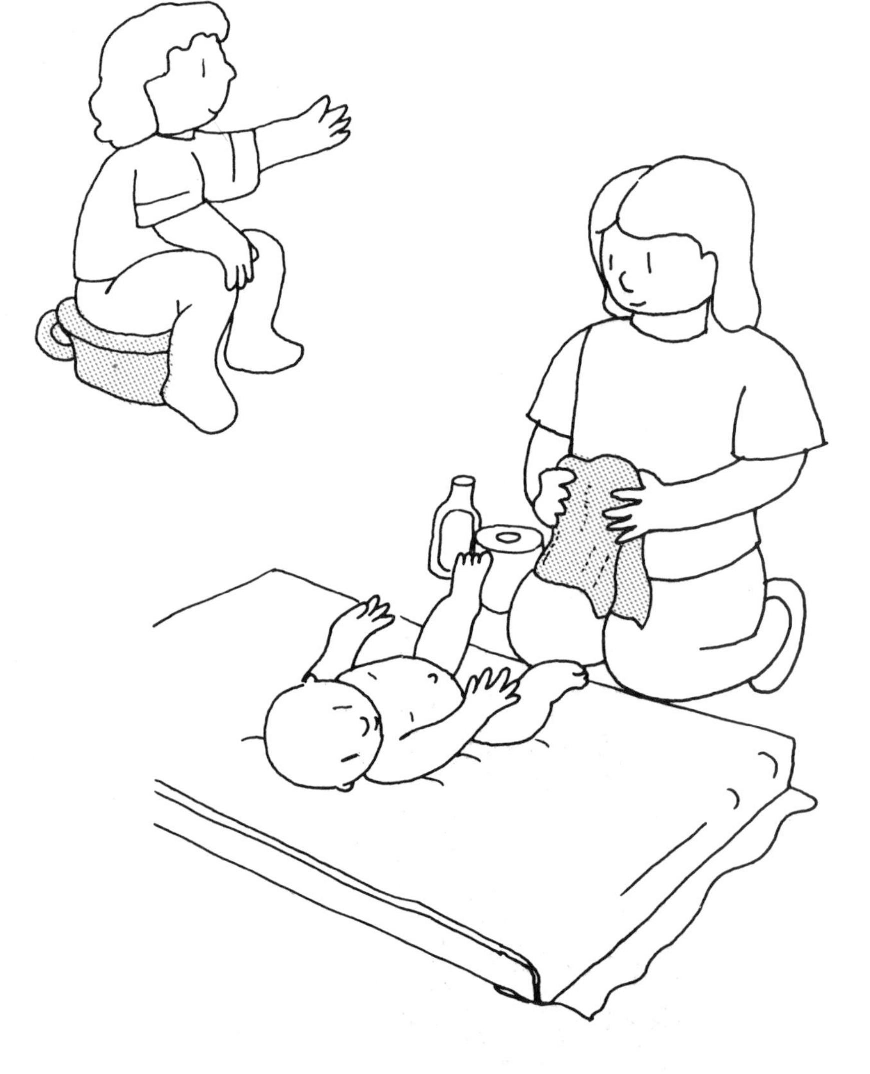

A los niños que aún no gatean les encanta el momento del cambio, pues se pueden mover con mayor libertad y sienten la cercanía y el contacto contigo. Aprovecha este momento para platicar con él, cambiándolo sin ninguna prisa. Es seguro que dará muestras de alegría.

Cuando comienza a caminar, con frecuencia rechaza el momento del cambio, pues no desea sino estar de pie, explorando. Ahora puedes usar otra estrategia y cambiarlo más rápido, pidiéndole que coopere en todo lo que él ya pueda hacer, como buscar su pañal, levantar las piernas, estirar los brazos o agacharse para que lo limpies.

Cuando el niño está listo para el control de esfínteres (para aprender a ir al baño) él mismo te lo dirá. Es posible que comience avisándote que «ya se hizo»; ésta es la señal de que ha adquirido la conciencia suficiente sobre su cuerpo para iniciar este aprendizaje. Primero que nada, hay que avisarle al niño que comenzará a usar la bacinica y a dejar el pañal. También hay que ponerse de acuerdo con la familia y pedirle que lo traigan a la Estancia con huaraches y sin calcetines. En cuanto el niño llegue puedes quitarle el pantalón y dejarle solamente el calzón entrenador, de esta manera podrá «llegar a tiempo» a la bacinica. Durante todo el día lo invitarás a ir al baño en los momentos en que notes que tiene ganas de orinar o de evacuar.

Éste es un aprendizaje que le llevará varias semanas o meses, así que no te preocupes si se orina y moja el piso, es seguro que le pasará muchas veces. Dale confianza haciéndole saber que está aprendiendo y que no es malo que se moje. Tu actitud y la de su familia son muy importantes, no para lograr el aprendizaje más rápido, sino para evitar conflictos y confusiones en el niño.

3. Comida. En este momento el niño toma los alimentos que han sido indicados por sus padres, ya sea que se preparen en casa o en la Estancia. Toma en cuenta que antes de cumplir un año, los niños aún no consumen todo tipo de alimentos, por lo que es preferible que la familia se encargue en casa de la preparación de las papillas. Si éstas se van a preparar en la Estancia, es necesario contar con instalaciones adecuadas, mucha higiene y una comunicación constante con los padres.

Al final de este capítulo encontrarás un anexo sobre nutrición, con los conceptos básicos sobre el tema y algunas sugerencias para preparar los menús que puedes ofrecerles a los niños pequeños.

A la hora de comer, si el niño aún no se sienta solo lo puedes poner en la silla para bebé o sobre tu regazo y darle el alimento con ayuda de una cuchara pequeña. Éste puede ser un momento muy agradable donde ambos disfruten de la cercanía. Si observas bien conocerás los gustos de cada uno y podrás, a partir de éstos, idear formas de ofrecerles mayor variedad y riqueza en su alimentación. Dale el biberón teniéndolo en brazos, de esta manera puedes suplir la presencia de la mamá y el calor del pecho. Al terminar, cárgalo verticalmente y dale unas palmaditas en la espalda para que «saque el aire». Después de unos 15 o 20 minutos puedes acostarlo si tiene sueño.

A los niños más grandecitos les encanta comer solos. No importa si meten las manos y se ensucian. Esta actividad favorece su independencia, enriquece sus sensaciones y su coordinación fina. Comparte con ellos este momento, estando presente y ofreciendo sólo la ayuda necesaria.

Antes de comer, ayúdalos a lavarse las manos y a ponerse una bata o babero. Invítalos a poner los platos y las cucharas.

Los niños disfrutan comer tranquilamente, sin prisas, sin imposiciones. Igual que tú, tienen sus propios gustos y habrá alimentos que no les agraden. No los presiones, aprende qué le gusta y qué no le gusta a cada uno y a partir de esto ve introduciendo nuevos sabores, ensayando presentaciones distintas. El comer en grupo y compartir los alimentos los anima a comer mejor.

Estos niños pueden tomar ya la leche en vaso e ir dejando el biberón.

Cuando hayan terminado, pueden recoger sus trastes, lavarse las manos y la cara, quitarse el babero y cambiarse si ensuciaron su ropa.

Ayúdalos también a lavarse los dientes utilizando un cepillo de cabeza pequeña y cerdas suaves. Con esta rutina sus dientes estarán siempre limpios y los niños se formarán buenos hábitos de higiene y cuidado personal.

Al principio, tendrás que cepillarles los dientes tú misma, haciéndolo de arriba hacia abajo con los dientes del maxilar superior y de abajo hacia arriba con los del maxilar inferior; las muelas se cepillan con movimientos circulares. Cuida de cepillar todas las piezas por sus tres caras. Poco a poco, anima a los niños a que lo hagan solos, siguiendo esta misma técnica.

Es muy importante que tomes en cuenta que existe un gran riesgo en dejar a un niño solo mientras toma el biberón, ya que podría ahogarse en un pequeño descuido.

Para los niños pequeños el movimiento libre y espontáneo es muy importante, ya que les dará la oportunidad de probar y desarrollar sus habilidades a partir de sus propias posibilidades

4. Juegos individuales y de grupo. Por el juego el niño explora y va conociendo todo lo que le rodea, observando y aprendiendo la reacción que tienen los objetos ante su manipulación y las actitudes de las personas a su actividad.

El niño está siempre atento a lo que hay a su alrededor; *todo lo que ve, oye o siente lo incita a jugar, explorar, moverse y conocer*.

El juego ocupa el mayor tiempo de la actividad del niño; por lo tanto, el programa, el mobiliario, los estímulos y tu actitud como educadora deben favorecerlo.

En el **Ambiente de Pequeños 1 y Pequeños 2** el juego puede realizarse de distintas maneras, según lo prefiera el niño por su nivel de desarrollo o por el humor en que se encuentre. Puede jugar solo, con otros compañeros o contigo, utilizando juguetes, elementos del ambiente o su propio cuerpo.

Tu papel como educadora consiste en estar siempre presente, observando, ofreciendo ayuda o compañía cuando sea necesario; estimulando al niño con tus palabras o con los juguetes que pones a su alcance.

Obsérvalo bien para que favorezcas que haya momentos de cercanía contigo, con otros niños, pero también múltiples oportunidades de explorar y moverse solo, logrando así mayor independencia y seguridad en sí mismo.

Cuando quiera jugar contigo puedes enseñarle cantos, rimas, juegos de nana o utilizar con él —o ellos— los juguetes del salón. Cuida de no hacer las cosas «por él» sino «con él». En estos momentos puede gozar que tú le hables e imitar tus movimientos o gestos.

Habrá otros momentos en que prefiera estar solo para explorar, manipular y ensayar sus habilidades motoras por sí mismo. Si hay cerca de él suficientes —dos o tres— juguetes llamativos, variados y seguros, no habrá necesidad de que tú lo motives: él estará lo bastante interesado como para iniciar y seguir su actividad por sí mismo.

Para los niños pequeños el movimiento libre y espontáneo es muy importante, ya que les dará la oportunidad de probar y desarrollar sus habilidades a partir de sus propias posibilidades, sin imposiciones, sin prisas. Además, podrá comprobar que sus iniciativas son válidas, que no son los adultos los que deciden la posición o el lugar en el que va a estar o el juguete con el que se puede jugar. Desde este momento estará ensayando su libre elección.

Al niño que aún no camina conviene ponerlo en el piso, en posición boca arriba; de esta manera tendrá un campo visual amplio y podrá decidir lo que desea hacer: puede mirar hacia todos lados, tocar sus manos y pies, alcanzar un objeto, rodar, arrastrarse, gatear. Cuida que el ambiente cercano que rodea al niño sea interesante —pero sin exceso de estímulos— para propiciar su acción y movimiento.

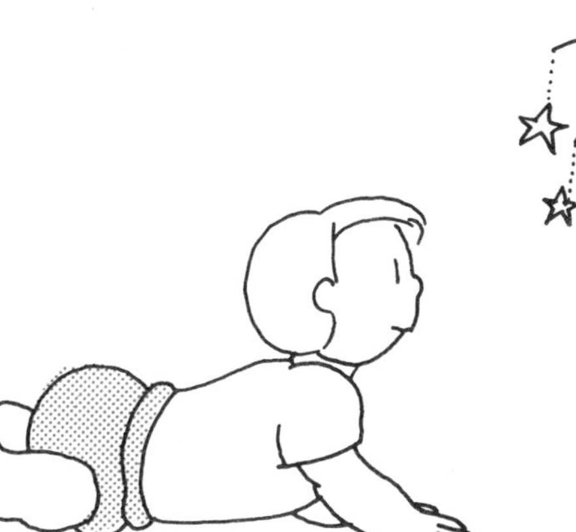

Ve acercando algunos juguetes de su interés y guardando los que ya no se utilicen.

Para los que ya caminan es importante tener muchas oportunidades de salir a jugar al patio para correr, jalar y aventar objetos, brincar, subirse al columpio, trepar.

En el **Ambiente de Pequeños 3** hay varios estantes con juguetes al alcance de los niños. Éstos están siempre en el mismo lugar, para que pueda **elegir libremente** el material que le interesa. Durante su juego, puede estar solo o relacionarse y organizarse con otros niños, según lo prefiera. Tú debes estar siempre pendiente porque es frecuente que haya pleitos y golpes por los juguetes. Toma en cuenta que a esta edad desean satisfacer sus inquietudes en el momento que se presentan y que tienen aún poca conciencia de los demás. Tú puedes proponer alguna alternativa cuando ellos no lleguen a un acuerdo.

Es importante ir estableciendo límites claros y sencillos que los niños puedan cumplir, como:

- Regresar los juguetes a su lugar después de usarlos.
- Cuidar los juguetes.
- Respetar el turno de los compañeros para usar un juguete.

Si en tu comunidad hay lugares seguros para salir a caminar con los niños, puedes planear momentos especiales en el día para hacerlo. En esta etapa cada vez desea y puede explorar lugares más alejados. Sal con un solo niño a la vez, dejándolo caminar libremente, pero enseñándole todas las reglas de seguridad necesarias. Él camina «a su paso», se detiene cada vez que desea observar algo con detenimiento, ensaya nuevas rutas para llegar a los lugares que conoce. La caminata puede durar unos cuantos minutos y repetirse cada semana.

Planea también momentos especiales para jugar con todo el grupo a la vez; pueden hacer rondas, cantar, contar cuentos, jugar a la pelota, etcétera. Estos juegos grupales se planean por anticipado. Piensa cada día en varios juegos distintos que respondan a las necesidades del grupo. Por ejemplo, un día pueden jugar a «La Rueda de San Miguel», después escuchar un cuento, bailar agitando listones al ritmo de la música y finalmente hacer carreras de «ranitas saltarinas». Estas actividades que tú planeas para que las realicen todos juntos les ayudan a seguir el ritmo del grupo y a comunicarse mejor. Ve involucrando a los niños en la elección de los juegos grupales y repite las actividades cuando ellos te lo pidan, ya que la repetición les causa un enorme placer, pues encuentran seguridad en aquello que conocen y pueden predecir.

Al niño que aún no camina conviene ponerlo en el piso, en posición boca arriba; de esta manera tendrá un campo visual amplio y podrá decidir lo que desea hacer.

Para los que ya caminan es importante tener muchas oportunidades de salir a jugar al patio para correr, jalar y aventar objetos, brincar, subirse al columpio, trepar.

El trabajo de grupo se planea de acuerdo con las necesidades y características particulares de los niños de tu grupo. Para que realices esta planeación diaria con mayor facilidad te puede servir este ejemplo:

PROGRAMA PARA EL TRABAJO DE GRUPO **FECHA:**

DURACIÓN (Cuánto tiempo)	**ACTIVIDAD** (Qué voy a hacer)	**TÉCNICA** (Cómo lo voy a hacer)	**MATERIALES** (Qué necesito)	**EVALUACIÓN** (Cómo resultó, cómo lo puedo mejorar)
10 minutos	«La Rueda de San Miguel»	*Acción dirigida:* • Forman un círculo y se dan la mano • Al cantar la canción, van haciendo los movimientos que corresponden	———	
5 minutos	Contar un cuento: «Mi amigo»	*Lección de grupo:* • Todos se sientan en círculo en el suelo • Cuentas un cuento haciendo los movimientos y gestos que corresponden • Invita a los niños a seguir estos movimientos	• El libro de cuentos «Mi amigo» Leerlo previamente, o inventar uno con anticipación	
5 minutos	Bailar con listones	*Acción dirigida:* • Cada uno toma su listón y baila con él, agitándolo al ritmo de la música	•Un listón ancho, para cada niño, de 50 cm de largo • Grabadora • Cassette	
5 minutos	Ranitas saltarinas	*Acción dirigida:* • Se colocan las llantas en línea sobre el piso • Por turnos, saltan de una llanta a otra	• 4 o 5 llantas	

5. Masaje y ejercicios. Esta actividad ayuda al niño a tener mayor conciencia de su cuerpo. Es también una oportunidad para ofrecerle un rato de atención sólo para él, lo cual le dará mayor seguridad y autoestima. En estos momentos tú estarás pendiente de observar su desarrollo corporal, valorando su crecimiento y sus posturas. Si notas alguna anormalidad o algo que te inquieta, será necesario remitirlo con algún especialista. La sesión de masajes y ejercicios se realiza con los niños del ambiente de pequeños 1 y 2; es decir, hasta que caminan. Puede durar de 5 a 10 minutos y repetirse una o dos veces en el día, según el número de horas que asista a la Estancia y el número de niños que haya en el salón bajo tu cuidado.

Vas a necesitar mucha práctica y gusto para hacerlos con delicadeza y entusiasmo. Te recomendamos que practiques primero muchas veces con un muñeco, después tal vez con alguna de tus compañeras de trabajo, hasta que sientas que los dominas y los realizas con naturalidad y soltura.

Al final de este capítulo hay algunos masajes y ejercicios que te sugerimos para empezar. Consulta también otros libros para ampliar tu repertorio; en la bibliografía te sugerimos algunos. Con la práctica podrás elegir los que más les convienen a los niños que atiendes.

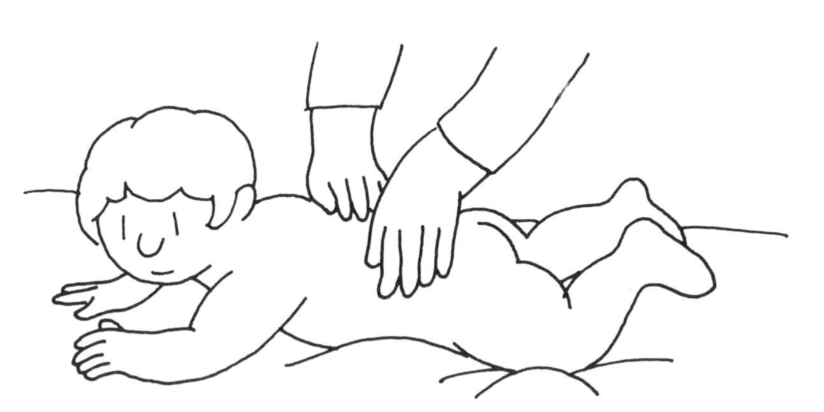

6. Siesta. Cada niño tiene requerimientos de descanso muy distintos, así que la siesta puede durar todo el tiempo que el niño lo necesite. Cuida que el ambiente sea tranquilo, cálido y silencioso, de manera que logre un verdadero descanso. Observa a los niños y pregunta también a sus padres para conocer las costumbres de cada uno para dormir; por ejemplo, algunos duermen abrazados a un juguete, otros necesitan sentir la presencia de un adulto, algunos prefieren la posición boca abajo o de costado, etcétera. Sin embargo, para que logren un descanso profundo cuida que no estén demasiado tapados y que duerman la mayor parte de la siesta en la postura de costado.

Vigila que cada niño duerma cuando tenga sueño, nunca por imposición.

Mientras duermen, es importante que estés atenta a ellos y que **no los dejes nunca solos**.

3. CÓMO SE ORGANIZA EL HORARIO PARA LAS NIÑAS Y LOS NIÑOS PEQUEÑOS

Al planear el horario debes tomar en cuenta las actividades que se proponen para el programa de Pequeños y Preescolares, de manera que todos los grupos puedan utilizar y gozar de las instalaciones de la Estancia sin invadirse ni distraerse.

El horario para las actividades de los pequeños tiene que ser muy flexible, ya que, como sabes, unos cuantos meses de diferencia de edad entre los niños pueden hacer una gran diferencia en cuanto a sus necesidades de movimiento, de comida y de sueño. Además, las diferencias individuales pueden también ser muy grandes. Por ejemplo, un niño de seis meses puede necesitar dormir dos siestas durante el tiempo que asiste a la Estancia, mientras que otro de un año y medio puede necesitar dormir sólo una vez en el día. Tal vez un niño duerma 15 minutos mientras otro necesite hacerlo durante 45 minutos o una hora.

Así, mientras unos están durmiendo otros estarán comiendo y otros jugando en el patio o dentro del salón. Por esta razón, el horario no establece tiempos fijos para la mayoría de las actividades, sino que se podrán ir realizando según se vayan presentado las situaciones.

Aquí te presentamos un ejemplo de horario para una Estancia que atiende a los niños de las 8:00 a las 18:00 horas.

7:30 — 8:00	PREPARACIÓN PERSONAL DE LAS EDUCADORAS Y ARREGLO DEL AMBIENTE
8:00 — 8:10	RECEPCIÓN DE NIÑOS
8:10 — 8:20	REVISIÓN DE ROPA Y PAÑAL
8:20 — 8:45	DESAYUNO
8:45 — 11:30	JUEGO MASAJES Y EJERCICIOS SIESTA
11:30 — 12:00	REFRIGERIO
12:00 — 14:00	JUEGO MASAJES Y EJERCICIOS SIESTA
14:00 — 14:30	COMIDA
14:30 — 17:30	JUEGO MASAJES Y EJERCICIOS SIESTA
17:30 — 17:50	MERIENDA
17:50 — 18:00	ARREGLO PERSONAL
18:00	DESPEDIDA Y ENTREGA DE NIÑOS
18:00 — 18:30	ARREGLO DEL AMBIENTE

4. CÓMO SON LOS JUEGOS Y JUGUETES PARA LAS NIÑAS Y LOS NIÑOS PEQUEÑOS

Cualquier objeto puede ser un juguete en las manos de un niño. Más importante que el juguete mismo es la acción que puede realizar con él.

Con su manipulación sobre los objetos el niño los conoce, se divierte y aprende sus características y propiedades físicas; realiza comparaciones mentales entre éste y otros objetos que ya conoce —éste es el principio del pensamiento lógico matemático.

Mientras más sencillos sean los juguetes y más variedad de uso puedan tener, mejor. Por ejemplo, la tapa de un frasco lo mismo puede servir para rodar o para girar que para construir, para chupar que para aventar; una caja puede servir para meter objetos, para meterse uno mismo, para empujar; una bolsa de mandado puede usarse para imitar a la mamá o para guardar un muñeco.

Aquí te sugerimos algunos juguetes y juegos básicos para los niños pequeños. Tú podrás ir inventando nuevos juegos de acuerdo con los intereses que observes en los niños.

CONFORME VAYAS INTRODUCIENDO NUEVAS ACTIVIDADES O MATERIALES TOMA EN CUENTA LO SIGUIENTE:

- **Todos los objetos deben ser seguros para tocar, chupar, aventar; es decir, sin aristas, no tóxicos, que no tengan piezas pequeñas desprendibles, que no sean muy pesados.**
- **Debe haber variedad de tamaños, colores, materiales, texturas, temperaturas, pesos, etcétera.**
- **Los objetos deben ser atractivos a la vista, oído, tacto, para estimular la acción del niño sobre ellos.**
- **Los objetos y las actividades deben ser adecuados para el nivel de desarrollo de los niños; es decir, que les interesen y no representen riesgo en ningún sentido**

Cualquier objeto puede ser un juguete en las manos de un niño. Más importante que el juguete mismo es la acción que el niño puede realizar con él.

Las actividades, los juegos y los juguetes que usamos con los niños pequeños los dividimos en:

Juguetes

Son todos los materiales que ponemos al alcance de los niños para que los usen libremente. Para que todos sean atractivos y seguros revísalos muy bien y, si es necesario, decóralos con una mano de pintura o fórralos con tela, lona, plástico o papel, según se requiera.

Juegos de nana, cantos y rimas

Son juegos a los que invitamos a los niños en algunos momentos del día, ya sea para que las hagan con nosotras o con otros niños. Pueden repetir algunas palabras y los movimientos que las acompañan.

Juegos grupales

En estos juegos participan todos juntos. Pueden ser tradicionales, como «La Rueda de San Miguel», juegos de pelota, etcétera. Para que los niños puedan seguir los movimientos que indican los cantos elige siempre los más sencillos y procura jugarlos en lugares donde haya suficiente espacio para moverse sin peligro.

Actividades de autocuidado

Son actividades de higiene y cuidado personal y del ambiente más cercano, como lavarse las manos, peinarse, limpiar la mesa, etcétera.

BARRA

Para que se apoye al levantarse solo y en sus primeros pasos.

MATERIALES:

- Un palo redondeado o barra de madera para cortinero de 3 m de largo aproximadamente.
- Equipo de trabajo de carpintería.

ELABORACIÓN:

- Se lija y barniza el palo.
- Se fija a la pared.

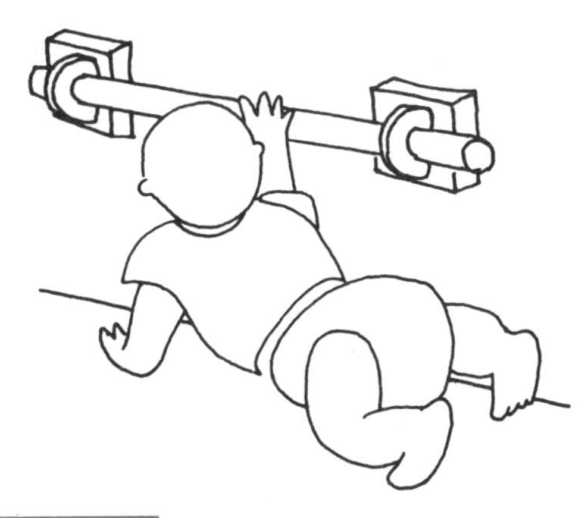

PELOTAS

Para que juegue libremente a rodar, aventar, empujar.

MATERIALES:

- Varias pelotas de diferentes tamaños y materiales. Pueden ser compradas o hechas a mano.

SONAJAS

Para que escuche el sonido que producen, ya sea por el movimiento de su propia mano, de la educadora o de otro niño.

MATERIALES:

- Varias sonajas de distinto tamaño, color, grosor y sonido. Pueden ser compradas o hechas a mano con cascabeles, semillas, huesos de fraile, etcétera.

TÚNEL

Para que pase a gatas por él.

MATERIALES:

—Un cilindro de cartón grueso de 40 cm de diámetro x 120 cm de largo aproximadamente.

—Equipo de trabajo general y de pintura.

ELABORACIÓN:

—Se cortan la tapa y la base del cilindro.

—Se decora.

—Se fija al piso con dos alcayatas a cada lado del cilindro.

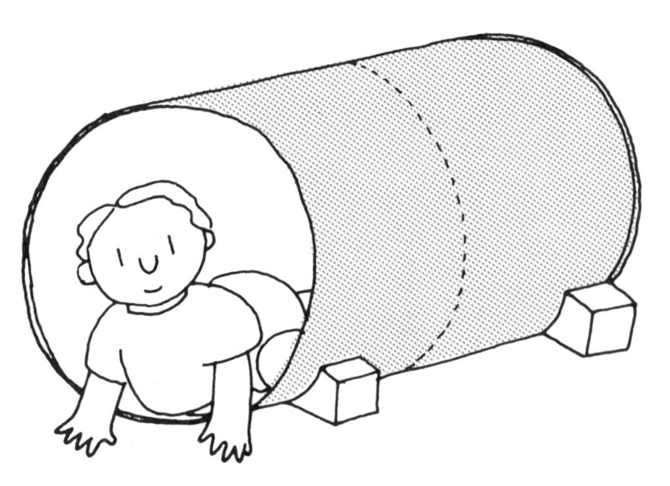

ESPEJO

Para que se vea, se conozca y juegue haciendo distintos gestos y movimientos.

MATERIAL:

—Uno o dos espejos irrompibles con marco de 40 x 80 cm aproximadamente.

—Equipo de trabajo de carpintería.

ELABORACIÓN:

—Se fijan los espejos a la pared con alcayatas.

JUGUETES PARA EMPUJAR

Para que juegue a empujar distintos objetos y los siga a gatas.

MATERIAL:

—Objetos de distintos tamaños, colores, texturas y pesos que se puedan empujar, como conos, carritos, pelotas, tapaderas, etcétera.

MÚSICA

Para que escuche y goce de la música.

MATERIAL:

—Una grabadora y cassettes con música suave de todo tipo.

Para jugar con el cuerpo

TORTILLITAS DE MANTECA

Das palmadas con las manos, como «haciendo tortillas», lentamente, para que el niño te pueda imitar, mientras dices o cantas:

Tortillitas de manteca
pa' mamá que está contenta;
tortillitas de maíz,
pa' papá que está feliz.

(Tradicional)

TENGO MANITA

Enseñas tu mano al niño y giras la muñeca de un lado a otro, mientras dices o cantas:

Tengo manita, no tengo manita,
porque la tengo desconchabadita.
Tengo mano, no tengo mano,
porque la tengo desconchabada.

(Tradicional)

TORTITAS DE MAÍZ

Enseñas tus dos manos al niño, con los puños cerrados y giras la muñeca de un lado a otro; en la segunda parte abres y cierras las manos mientras cantas o dices:

Tortitas, tortitas,
tortitas de maíz,
con mucha azúcar blanca
y granitos de anís.

(Tradicional)

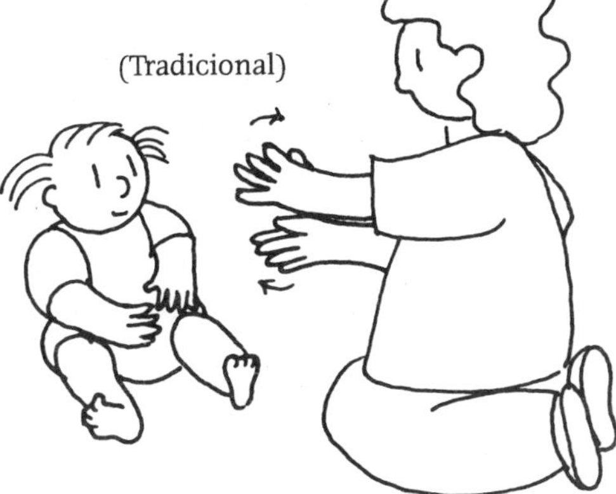

CUANDO VOY A CASA DE PEÑA

Mueves la pierna del niño mientras dices o cantas:

Cuando voy a casa de Peña,
con la patita le hago la seña.

(Tradicional)

PERRO VIEJO

Mueves la pierna del niño mientras dices o cantas:

Mueve la pata perro viejo,
mueve la pata de conejo.

(Tradicional)

MIS OJOS

Abres y cierras los ojos frente al niño mientras dices:

Si quiero mirar los abro,
si quiero dormir los cierro.

AL COMPÁS

Abres y cierras los ojos frente al niño mientras dices:

Abrir, cerrar, abrir, cerrar,
los ojos al compás.

(Tradicional)

LA CALABACITA

Con las dos manos, sobas la cabeza del niño mientras dices:

Mocita, mocita,
la calabacita.

(Tradicional)

PELÓN PELONETE

Con una mano, sobas la cabeza del niño diciendo:

Pelón, pelonete
cabeza de cuete.
Vendiendo tamales
a cinco y a siete.

(Tradicional)

CON MI CABEZA

Mueve la cabeza hacia adelante y hacia atrás o hacia un lado y otro, según lo indica la canción.

Con mi cabeza digo sí,
con mi cabeza digo no.
Sí, sí, sí, sí, sí,
no, no, no, no, no.
Este cuento se acabó.

(Tradicional)

ASERRÍN ASERRÁN

Sientas al niño en tus piernas y los meces hacia adelante y hacia atrás mientras dices:

Aserrín, aserrán
los maderos de San Juan,
piden pan, no les dan.
Piden queso, les dan un hueso
que se les atora en el pescuezo
[le haces cosquillas en el cuello].

(Tradicional)

A GALOPE

Sientas al niño en tus piernas y lo meces mientras dices o cantas:

A galope vengo,
a galope voy.
En mi caballito
qué contento estoy.

(Tradicional)

ARRE CABALLITO

Sientas al niño en tus piernas y lo meces suavemente mientras dices o cantas:

Arre caballito,
vamos a Belén,
que mañana es fiesta
y al otro también.

(Tradicional)

Arrullos

Mece al niño suavemente en brazos mientras cantas o dices alguno de estos versos. También puedes cantarlos mientras el niño está acostado sobre la colchoneta, al tiempo que vas dando palmaditas muy suaves sobre su espalda o costado.

ESTE NIÑO LINDO

Este niño lindo
que nació de noche
quiere que lo lleven
a pasear en coche.

Este niño lindo
que nació de día
quiere que lo lleven
a comer sandía.

A la rurru, rurru,
patitas de burro,
a la rerro, rerro,
patitas de perro.

(Tradicional)

DUÉRMETE, MI NIÑO

Duérmete, mi niño,
que tengo que hacer,
lavar tu ropita,
ponerme a coser,
una camisita
que te has de poner
el día de tu Santo,
Señor San Miguel.

(Tradicional)

ARRORRÓ MI NIÑO

Arrorró mi niño,
arrorró mi sol,
arrorró pedazo
de mi corazón.

(Tradicional)

LA CUNITA

La cunita viene,
la cunita va,
el niño se duerme
pensando en mamá.

(Tradicional)

ARRULLO

Romeros de mayo,
pájaros de abril,
arrullen al niño
que se va a dormir.

(Tradicional)

SANTA MARGARITA

Santa Margarita,
carita de luna,
méceme ese niño
que tengo en la
cuna.

(Tradicional)

ARRULLO

Si este niño
se durmiera,
qué feliz
a mí me hiciera.

(Tradicional)

NOCHECITA LINDA

Nochecita linda,
que tu pajarito
venga con canciones
para este angelito.

(Tradicional)

A DORMIR

Basta de jugar,
basta de reír;
cierre ya los ojos
y quédese así.

(Tradicional)

LA RATA

A la rorró, tata,
que tuvo la rata
cuatro ratoncitos
y una garrapata.

(Tradicional)

ACTIVIDADES DE AUTOCUIDADO PARA EL AMBIENTE DE PEQUEÑOS 1

LAVARSE LAS MANOS

Para que adquiera el hábito de lavarse siempre que sea necesario, por ejemplo, antes de comer, después del cambio de pañal, al regreso del patio, etcétera.

MATERIAL:

—Un lavabo o una palangana.
—Jabón.
—Toalla.

LAVARSE LOS DIENTES

Para que adquiera el hábito de lavarse siempre después de comer.

MATERIAL:

—Un cepillo de dientes pequeño para cada niño.

BARRA

Para que se apoye al levantarse solo y al dar sus primeros pasos

MATERIALES:

—Un palo redondeado o barra de madera para cortinero de 3 m de largo aproximadamente.
—Equipo de trabajo de carpintería.

ELABORACIÓN:

—Se lija y barniza el palo
—Se fija a la pared.

ESCALERA

Para que suba y baje cuando quiera, ya sea a gatas o de pie.

MATERIALES:

—Seis huacales firmes.
—Seis tablas de fibracel del mismo tamaño que los huacales.
—Tela acolchada.
—Equipo de trabajo de carpintería y de costura.

ELABORACIÓN:

—Se cortan los huacales a distintas alturas.
—Se clava una tabla de fibracel sobre cada huacal para reforzarlo.
—Se forran los huacales con la tela acolchada.

PELOTAS

Para que juegue libremente a rodar, aventar, girar.

MATERIALES:

—Varias pelotas de diferentes tamaños y materiales. Pueden ser compradas o hechas a mano.

CAJA

Para que juegue a empujar, a jalar, a pasear a un compañero, a meter objetos o meterse él mismo.

MATERIALES:

—Caja mediana de cartón grueso o de plástico.
—Periódico.
—Engrudo.
—Equipo de trabajo de pintura.

ELABORACIÓN:

—Se refuerza la caja de cartón con periódico y engrudo.
—Se decora.

LLANTA

Para que, a gatas o a pie, entre y salga de la llanta.

MATERIALES:

—Una llanta de coche usada, que no tenga expuestas las cuerdas de acero.

Elaboración:

—Se lava la llanta.

—Se coloca acostada sobre el piso.

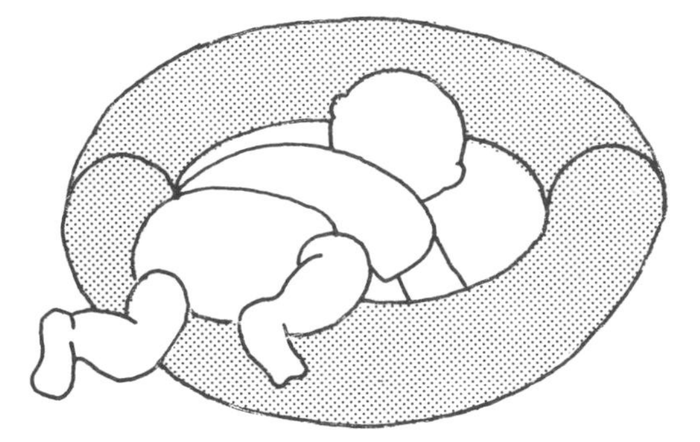

RODILLOS

Para que juegue a empujar un objeto rodante, estando a gatas o de pie.

MATERIAL:

—De cuatro a seis rodillos de cartón grueso de diferentes largos y grosores (como los que usan para empaque de telas o hilos).

—Dos cajas grandes.

—Equipo de trabajo de pintura.

ELABORACIÓN:

—Se decoran las cajas y los rodillos.

—Se colocan los rodillos en una caja y la otra, vacía, se coloca en algún lugar alejado de la primera.

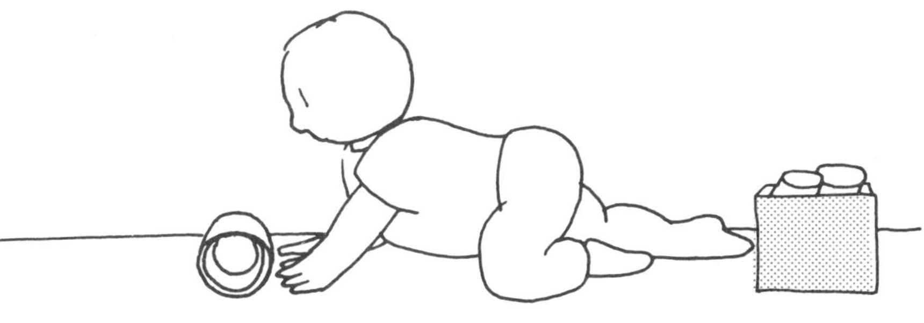

ESPEJO

Para que se vea, se conozca y juegue haciendo distintos gestos y movimientos.

MATERIAL:

—Uno o dos espejos irrompibles con marco de 40 x 80 cm aproximadamente.

—Equipo de trabajo de carpintería.

ELABORACIÓN:

—Se fijan los espejos a la pared con alcayatas.

BOLSAS

Para que juegue a meter y sacar objetos.

MATERIALES:

—Dos o tres bolsas pequeñas de tela o de mandado.

MATERIAL PARA CONSTRUIR

Para que juegue a apilar o a poner en filas.

MATERIAL:

—Tapas de envases medianas y grandes.

—Recipiente grande.

—Equipo de trabajo de pintura.

ELABORACIÓN:

—Se decora el recipiente.

—Se colocan las tapas dentro del recipiente.

EL RATONCITO

Con tu dedo índice haces círculos sobre la palma abierta del niño. Después trazas un camino con tu dedo desde su palma hasta su axila.

Allí viene un ratoncito
comiendo su quesito.
Se encontró con un caminito
y llegó al agujerito.

(Tradicional)

CINCO POLLITOS

Muestras tu mano abierta al niño y vas señalando uno por uno cada dedo.

Cinco pollitos
tiene mi tía.
Uno le canta,
otro le pía,
y tres le dicen,
Ah, qué mi tía.

(Tradicional)

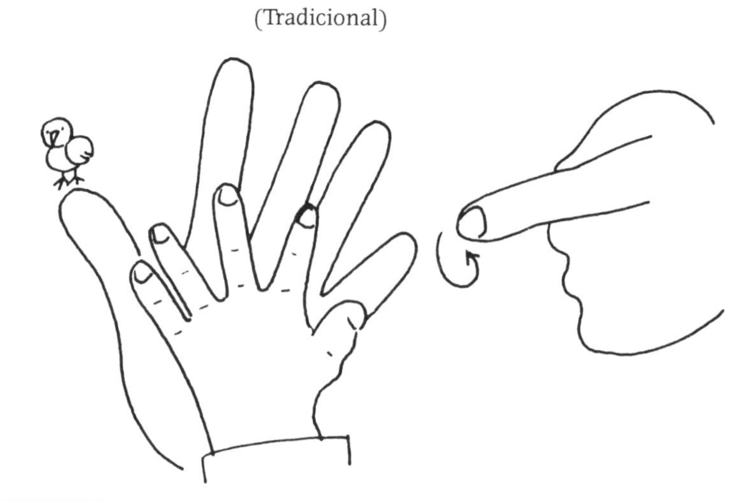

LA HORMIGUITA

Haces caminar tus dedos por el cuerpo del niño y al final le haces unas cosquillitas en las axilas.

Por aquí va una hormiguita
pepenando su leñita,
le cayó un aguacerito
y se metió a su covachita.

(Tradicional)

PAPAS Y PAPAS

Muestras ambas manos al niño y llevas el ritmo, como torteando.

Papas y papas
para mamá
las quemaditas
para papá.

(Tradicional)

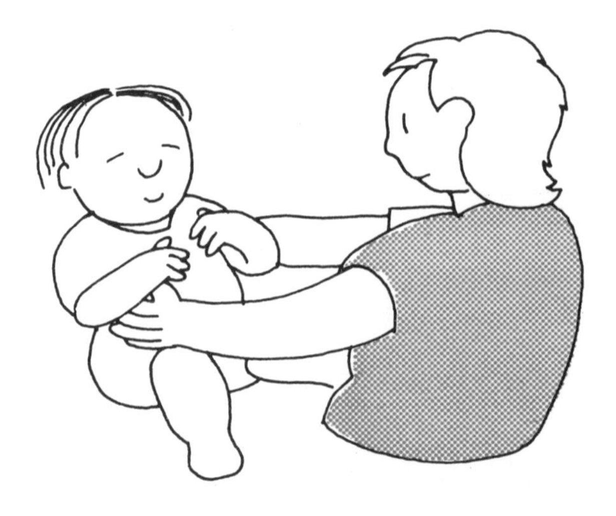

TANTOS Y TANTITOS

Agitas los dedos de ambas manos al mismo tiempo.

Que son tantos y tantitos
que son tantos los ratoncitos.
Que son tantos y tantotes
que son tantos los ratonzotes.

(Tradicional)

LA CASA CAÍDA

Muestras tu mano abierta al niño y en cada frase señalas uno de los dedos.

La casa caída,
el niño llorando,
la señora en la misa,
el señor enojado.
¡Ay Dios, qué cuidado!

(Tradicional)

LOS DEDOS

Con la mano abierta, vas señalando cada uno de los dedos mientras dices:

Éste compró un huevito,
éste lo puso a asar,
éste le echó la sal,
éste lo sirvió,
y éste pícaro gordo, todito se lo comió.

(Tradicional)

HOJAS DE TÉ

Pones ambas manos sobre tus piernas y golpeas primero con las palmas y después con el dorso, llevando el ritmo.

Hojas de té,
hojas de té.
Hojas y hojas
y nada de té.

(Tradicional)

LOS ANCIANOS

Sobre la palma de la mano izquierda, se mueven primero los dedos anular y meñique; después se mueven todos los dedos de la mano derecha.

Los ancianos caminan lentamente
y los niños ligera y gentilmente.

(Tradicional)

En estos juegos pueden participar todos juntos. Para que los niños puedan seguir los movimientos que indican los cantos elige siempre los más sencillos y procura jugarlos en lugares donde haya suficiente espacio para correr sin peligro.

LOS PUENTES

Pasan a gatas debajo de las mesas o sillas del salón. Pueden seguir todos un mismo camino o pasar cada quien por donde quiera. También pueden pasar debajo de sus compañeros, quienes se colocarán de pie y con las piernas abiertas.

PASO LA PELOTA

Se sientan todos en el suelo con las piernas abiertas, formando un círculo. Pasa la pelota a uno de los niños, rodándola, mientras dices: «Toma, Miguel». Quien la recibe la pasa a otro de los compañeros. Ellos o tú pueden decir el nombre del compañero que la recibe. El juego termina cuando todos han recibido la pelota o cuando los niños así lo quieran.

LAS CARRERAS

Se paran todos juntos en algún lugar, que será la salida. Se marca una meta de llegada, por ejemplo la pared del otro lado del patio o algún árbol. Cuentan a tres y todos salen corriendo hasta tocar la meta.

EL CHIVO

Se ponen todos a gatas en la salida y empujan una pelota con la cabeza hasta llevarla a la meta.

LAVARSE LAS MANOS

Para que adquiera el hábito de lavarse siempre que sea necesario, por ejemplo, antes de comer, después del cambio de pañal, al regreso del patio, etcétera.

MATERIAL:

—Un lavabo o una palangana.
—Jabón.
—Toalla.

LAVARSE LOS DIENTES

Para que adquiera el hábito de lavarse siempre después de comer.

MATERIAL:

—Un cepillo de dientes pequeño para cada niño.

TIRAR LA BASURA

Para que participe con sus compañeros y educadoras en el arreglo y limpieza del salón.

MATERIAL:

—Un bote de basura con tapa.

ESPEJO

Para que se vea, se conozca y juegue haciendo distintos gestos y movimientos.

MATERIAL:

—Uno o dos espejos irrompibles con marco de 40 x 80 cm aproximadamente.

—Equipo de trabajo de carpintería.

ELABORACIÓN:

—Se fijan los espejos a la pared con alcayatas.

MUÑECOS

Para que juegue «a la casita». Puede vestirlos, cargarlos, bañarlos y todo lo que se le ocurra.

MATERIALES:

—Uno o varios muñecos de trapo y de vinil.

—Ropa y cobijas.

—Una palangana, jabón, zacate y toalla.

TRASTECITOS

Para que juegue «a la comidita».

MATERIALES:

—Trastecitos de plástico.

—Una charola mediana.

—Equipo de trabajo de pintura.

ELABORACIÓN:

—Se decora la charola.

—Se colocan los trastecitos dentro de la charola.

CAJAS GRANDES Y PEQUEÑAS

Para que las acomode por tamaños, ya sea una dentro de otra, en línea o encimadas.

MATERIALES:

—Seis a ocho cajas, latas o tapas de distinto tamaño.

—Una charola grande.

—Equipo de trabajo de pintura.

ELABORACIÓN:

—Se decoran las cajas, latas o tapas y la charola.

BLOQUES

Para que juegue a construir.

MATERIALES:
- Recortes de madera de diferentes formas y tamaños.
- Un recipiente grande.
- Equipo de trabajo de carpintería y de pintura.

ELABORACIÓN:
- Se lijan y barnizan los bloques.
- Se colocan los bloques dentro del recipiente.

CAJAS PARA CONSTRUIR

Para que juegue a construir estructuras grandes.

MATERIALES:
- 10 a 15 cajas de cartón de aproximadamente 30 x 30 x 30 cm.
- Periódico.
- Recortes de revistas de colores.
- Engrudo.
- Equipo de trabajo de pintura.

ELABORACIÓN:
- Se rellenan las cajas con todo el periódico que les quepa, apretándolo muy bien.
- Se forran con dos o tres capas de periódico con engrudo.
- Se forra la última capa con recortes de revista.
- Se pintan con barniz transparente para madera.

LIBROS DE TELA

Para que vea y toque las ilustraciones y desarrolle el gusto por mirar libros.

MATERIAL:
- Tres metros de tela de yute o cuadrillé.
- Recortes de telas de distintos colores y texturas.
- Retazos de hilos de bordar y de estambres de distintos colores.
- Equipo de trabajo de costura.

ELABORACIÓN:
- Se corta la tela en cuadros dobles de aproximadamente 25 x 25 cm.
- Se marcan las ilustraciones con lápiz sobre la tela.
- Se cosen aplicaciones de tela y se borda sobre el diseño.
- Se cosen todos los cuadros a manera de libro.

VARIACIONES:

Se pueden tener otros libros de pasta y hojas gruesas.

PELOTAS

Para que juegue libremente a rodar, aventar, girar, lanzar, atrapar y patear.

MATERIAL:
- Varias pelotas de diferentes tamaños y materiales. Pueden ser compradas o hechas a mano.

OBJETOS PARA ENSARTAR

Para que juegue a ensartar cuentas grandes y desarrolle la coordinación fina.

MATERIAL:

—20 corcholatas.
—Una agujeta.
—Una charola mediana.
—Equipo de trabajo de carpintería y de pintura.

ELABORACIÓN:

—Se perfora cada corcholata por el centro con un clavo grueso.
—Se pegan dos corcholatas juntas con pegamento especial para metal para formar una cuenta.
—Se pintan las cuentas de distintos colores.
—Se decora la charola.
—Se colocan las cuentas y la agujeta dentro de la charola.

SEMILLAS PARA VACIAR

Para que juegue a pasar las semillas de un recipiente a otro.

MATERIAL:

—Dos recipientes medianos.
—Una charola mediana.
—Semillas.
—Equipo de trabajo de pintura.

ELABORACIÓN:

—Se les forma un pico a los recipientes apretándolos por un lado.
—Se decoran los recipientes y la charola.
—Se ponen las semillas en uno de los recipientes, llenándolo hasta la mitad.
—Se ponen los recipientes sobre la charola.

PAPEL PARA RASGAR

Para que desarrolle la coordinación fina.

MATERIAL:

—Periódico.
—Una charola grande.
—Equipo de trabajo general y de pintura.

ELABORACIÓN:

—Se corta el periódico en pedazos de 20 x 30 cm aproximadamente.
—Se decora la charola.
—Se colocan dos o tres pedazos de periódico en la charola.

TRONCOS PARA CARGAR

Para que juegue a llevar objetos pesados de un lado a otro.

MATERIAL:

—Cinco a ocho pedazos gruesos de tronco.
—Dos cajas grandes.
—Equipo de trabajo de carpintería y de pintura.

ELABORACIÓN:

—Se lijan los troncos si es necesario.
—Se decoran las cajas.
—Se colocan los troncos en una caja y la otra, vacía, se coloca en algún lugar alejado de la primera.

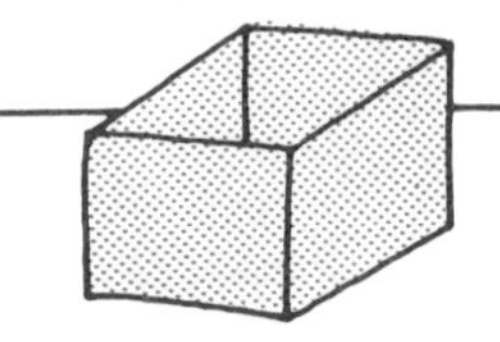

CASITA

Para que juegue a esconderse, a entrar y salir.

MATERIAL:

—Un cilindro de cartón grueso, de 40 cm de diámetro x 80 cm de largo aproximadamente.
—Equipo de trabajo general y de pintura.

ELABORACIÓN:

—Se marcan y cortan una puerta pequeña y una ventana sobre el cilindro.
—Se decora el cilindro en forma de casa.
—Se pueden colocar cortinas en la ventana y en la puerta.

TRAZO LIBRE

Para que se exprese por medio del trazo.

MATERIAL:

—Un pizarrón de 1 x 1,5 m.
—Gis blanco.

—Borrador para pizarrón.
—Una charola mediana.
—Equipo de trabajo de carpintería y de pintura.

ELABORACIÓN:

—Se fija el pizarrón a la pared a la altura de los niños.
—Se decora la charola.
—Se corta el borrador a la mitad.
—Se colocan el gis y el borrador sobre la charola.

TINA DE AGUA O ARENA

Para que goce con las sensaciones que producen estos materiales.

MATERIAL:

—Una tina mediana.
—Una coladera.
—Un embudo.
—Un recipiente pequeño.
—Una bata de tela ahulada.
—Agua o arena de mar.
—Equipo de trabajo de pintura.

ELABORACIÓN:

—Se decoran todos los elementos.
—Se colocan dentro de la tina.
—Se le pone agua o arena hasta la mitad.

JUEGOS DE NANA, CANTOS Y RIMAS PARA EL AMBIENTE DE PEQUEÑOS 3

Acompaña las rimas y los cantos con movimientos que los niños puedan imitar.

NIÑO CHIQUITO

Niño chiquito,
señor de anillito,
tonto y loquito,
lame cazuelas
y mata piojito

(Tradicional)

LOS DEDOS

Uno es el dedo que apunta al sol,
dos son los cuernos del caracol,
tres las patas del banco fuerte,
cuatro árboles alrededor de la fuente,
cinco ratones muy asustados
y cinco niñitos muy bien parados.

(Armida de la Vara)

ANDAR, ANDAR

Andar, andar,
patitas a la mar.

(Tradicional)

EL ELEFANTE

El elefante del circo
mueve sus patas así,
es muy grande y muy pesado.
No se parece a ti.
Y si le das un cacahuate
su gran trompa extenderá
y con sus grandes orejas
"muchas gracias" te dirá.

(Tradicional)

ARRIBA Y ABAJO

Arriba, arriba
van mis manos.
Abajo, abajo
hasta mis pies.
Muy contentas manotean
al derecho y al revés

(Yolanda del Valle Soto)

LOS CONEJOS

Adelante hay un conejo
y otro más atrás de mí.
Corre mucho el de adelante
y el de atrás se va a dormir.

(Yolanda del Valle Soto)

MI CABEZA

Mi cabeza dice «no»,
con el cuello dice «sí».
Baila siempre muy feliz
cuando canto para ti.

(Yolanda del Valle Soto)

EL GUSANITO

—"¿Qué tienes allí?"
—"Un gusanito."
—"¿Con qué lo mantienes?"
—"Con pan y quesito."
—"¿Con qué le das agua?"
—"Con un botecito."
—"¿Lo mataremos?"
—"¡Ay no! pobrecito."

(Tradicional)

LUNA

Luna, luna
dame una tuna;
la que me diste
cayó en la laguna.

(Tradicional)

DOS KILOS DE AZÚCAR

Dos kilos de azúcar
y dos de café;
despáchame pronto
que allí viene José.

(Tradicional)

EL TORITO

Este torito que traigo
lo traigo desde Tenango
y lo vengo manteniendo
con cascaritas de mango.

(Tradicional)

EL GATO

Un gato cayó en un plato,
sus tripas se hicieron pan,
su cola se hizo fideo,
su panza quedó de flan.
Un flan.

(Tradicional)

EL COJO

Soy cojo de un pie
y manco de una mano.
Tengo un ojo tuerto
y el otro apagado.
Soy cojo de un pie
y no puedo andar.
Sólo al verla a usted
puedo no cojear.

(Tradicional)

CINCO LOBITOS

Cinco lobitos tiene la loba,
cinco lobitos tras de la escoba.

(Tradicional)

CONTAR Y LEER CUENTOS

Se sientan todos juntos y cuentas o lees un cuento sencillo y corto, que los niños puedan recordar fácilmente, por ejemplo:

Ésta era una niña que estaba buscando a su amiga. Caminó y caminó hasta que se encontró con un perro y le preguntó: «¿Has visto a mi amiga?». El perro le contestó: «No, está más allá».

La niña siguió caminando hasta que se encontró con un gallo y le preguntó: «¿Has visto a mi amiga?». El gallo le contestó: «No, está más allá».

La niña siguió caminando hasta que se encontró con un conejo y le preguntó: «¿Has visto a mi amiga?». El conejo le contestó: «No, está más allá».

La niña siguió caminando hasta que por fin encontró a su amiga y las dos se dieron un gran abrazo.

(Idea obtenida de Lola Abiega)

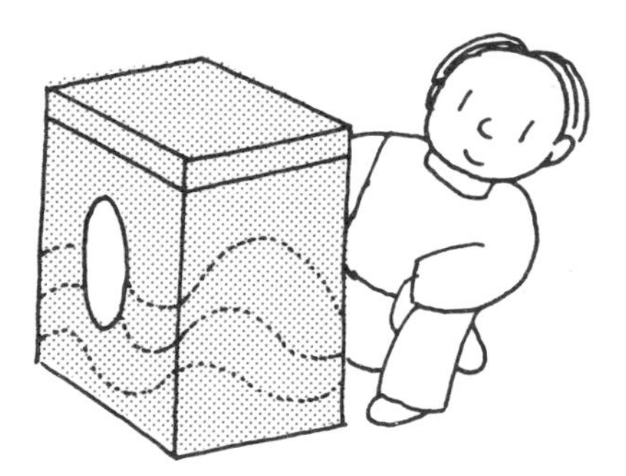

TRAGÁBOLAS

Se colocan a cierta distancia de la caja, por ejemplo, a dos o tres pasos. Por turnos lanzan una pelota hacia la caja, intentando que caiga adentro.

MATERIAL:

- —Una caja grande.
- —Periódico.
- —Engrudo.
- —Retazos de tela.
- —Borra o estopa para rellenar.
- —Una charola mediana.
- —Equipo de pintura y de costura.

ELABORACIÓN:

- —Se corta el periódico en pedazos pequeños.
- —Se forra la caja con periódico y engrudo.
- —Se hacen pelotas pequeñas (de aproximadamente 10 cm de diámetro) con la tela y se rellenan con borra o estopa.
- —Se decoran la charola y la caja.
- —Se colocan las pelotas dentro de la charola.

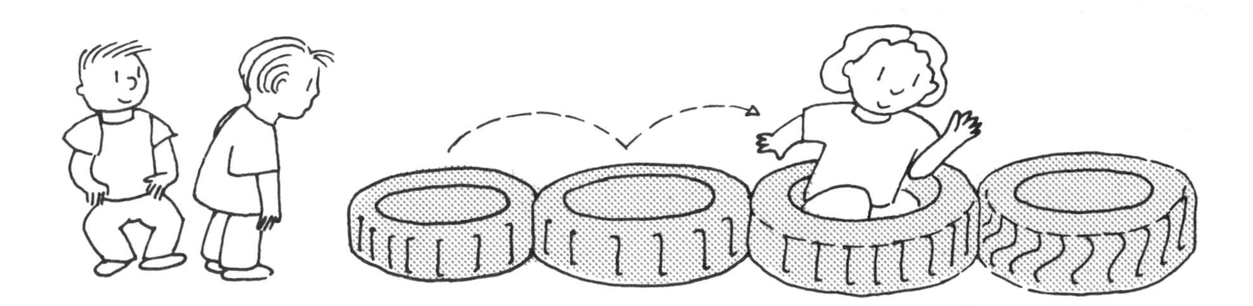

RANAS SALTARINAS

Se ponen todos en fila y por turnos van saltando hacia el centro de cada llanta. Cuando terminan, pueden volver a tomar su lugar al final de la fila.

MATERIAL:

—Cinco o seis llantas de coche usadas.

ELABORACIÓN:

—Se lavan las llantas.

—Se colocan acostadas sobre el piso, una junto a otra.

BAILAR

Todos bailan libremente o siguiendo los movimientos de la educadora o de uno de los compañeros. También pueden hacer bailar un periódico, un listón o una prenda de vestir.

MATERIAL:

—Una grabadora.

—Cassettes con música de todo tipo.

LA RUEDA DE SAN MIGUEL

Todos se toman de las manos, formando un círculo, y dan vueltas mientras cantan. Cada niño, al escuchar su nombre, se voltea, dando la espalda al centro. El juego termina cuando todos están de espaldas. Se puede reiniciar si los niños lo desean.

A la rueda rueda de San Miguel,
San Miguel,
todos cargan su caja de miel,
a lo maduro, a lo maduro,
que se voltee... de burro.

(Tradicional)

JUGAREMOS EN EL BOSQUE

Se elige a un niño que representa al lobo. El resto del grupo se toma de las manos formando un círculo y dan vueltas mientas cantan. Cuando se dirigen al «lobo», éste contesta: «Sí, ya voy» y persigue a los niños hasta que atrapa a alguno. El juego puede repetirse todas las veces que los niños quieran.

Jugaremos en el bosque,
mientras que el lobo no está,
porque si el lobo aparece
a todos nos comerá.
—Lobo, ¿estás allí?
—Sí, ya voy.

(Tradicional)

A PARES Y NONES

Todos se toman de las manos, formando un círculo y dan vueltas mientras cantan. Al final, cada quien busca una pareja y se abrazan.

A pares y nones
vamos a jugar

el que quede solo
ése perderá, ¡hey!

A pares y nones...

(Tradicional)

MI COMADRE JUANA

Uno pasa al centro, el resto se da la mano formando un círculo y da vueltas mientras canta. El niño del centro baila y al final elige a otro compañero para que pase al centro. El juego se repite todas las veces que los niños quieran.

Mi comadre Juana
andaba en el baile,
que lo baile, que lo baile,
que la quiero ver bailar.
Salga usted,
que la quiero ver bailar.

(Tradicional)

LAVARSE LAS MANOS

Para que adquiera el hábito de lavarse siempre que sea necesario, por ejemplo, antes de comer, después del cambio de pañal, al regreso del patio, etcétera.

MATERIAL:

—Un lavabo o una palangana.
—Jabón.
—Toalla.

LAVARSE LOS DIENTES

Para que adquiera el hábito de lavarse siempre después de comer.

MATERIAL:

—Un cepillo de dientes pequeño para cada niño.

TIRAR LA BASURA

Para que participe con sus compañeros y educadoras en el arreglo y limpieza del salón.

MATERIAL:

—Un bote de basura con tapa.

SACUDIR

Para que adquiera el hábito de conservar limpios los juguetes y utensilios.

MATERIAL:

—Un trapo de franela de 25 x 25 cm aproximadamente.

LIMPIAR LOS MANTELES

Para que adquiera el hábito de conservar limpio el lugar para comer.

MATERIAL:

—Un trapo de cocina de 25 x 25 cm aproximadamente.

BARRER

Para que adquiera el hábito de conservar limpio el lugar donde juega.

MATERIAL:

—Una escoba de 80 cm de largo aproximadamente.

SECAR EL PISO

Para que adquiera el hábito de conservar limpio el lugar donde juega.

MATERIAL:

—Un mechudo de 80 cm de largo aproximadamente.

—Una cubeta pequeña.

PONER Y RECOGER LA MESA

Para ordenar y conservar limpio el lugar para comer.

MATERIAL:

—Mantel o mantelitos individuales de plástico.

—Platos, vasos o tazas, cucharas, servilletas.

—Palangana grande.

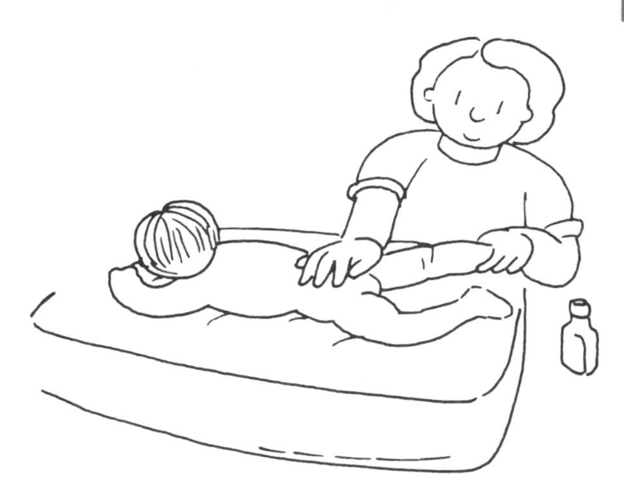

Antes de empezar, busca estar tranquila y dispuesta a dar el masaje con cariño.

- Coloca la colchoneta directamente sobre el piso y ponle encima la sábana del niño.
- Acuesta al niño boca arriba sobre la colchoneta y ponte frente a él.
- Pídele permiso para iniciar el masaje y desvístelo sin prisas.
- Aplica un poco de aceite vegetal sobre las palmas y frota tus manos para calentarlas. Nunca apliques el aceite directamente sobre el cuerpo del niño.
- Comienza el masaje procurando mantener el contacto visual con el niño e informándole sobre las partes del cuerpo que vas tocando.
- Sigue esta secuencia (de las partes menos vulnerables a las más vulnerables).

PIES Y PIERNAS

—Con las palmas de ambas manos, frota suavemente toda la pierna.

—Desliza el pulgar por el borde externo del pie, desde el talón y sin llegar al dedo.

—Con el pulgar y el índice, haz un molinillo en cada dedo del pie y termina con un pequeño jalón.

—Coloca la mano en la planta del pie y flexiónalo suavemente; luego acompáñalo a su posición original sin forzarlo.

—Con los dos pulgares frota la planta del pie, sin llegar a los dedos.

—Con los dos pulgares frota el dorso del pie, desde los dedos hasta el tobillo.

—Con los dedos índice y medio haz pequeños círculos alrededor del tobillo.

—Finalmente, realiza un molinillo con las palmas de las manos, desde las rodillas hasta el tobillo.

—Repite el mismo masaje en la otra pierna.

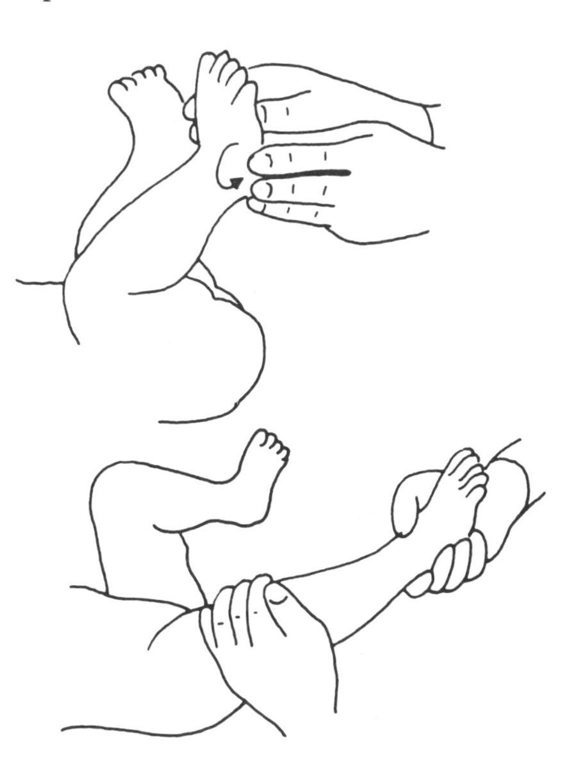

* El masaje corresponde a la técnica de Vimala Schneider; ha sido tomado de los apuntes y la experiencia de Esther Noria Rosales.

PECHO Y ESTÓMAGO

—Con la palma de la mano da un masaje del pecho hacia abajo, en el sentido de las manecillas del reloj.
—Con los pulgares de ambas manos, haz el masaje del ombligo hacia los lados.

BRAZOS Y MANOS

—Comienza, como en las piernas, con un masaje ligero en todo el brazo.
—Con el pulgar y el índice, haz un molinillo en cada dedo, dando al final un pequeño jalón.
—Con los dos pulgares, frota el dorso de la mano, hasta los dedos.
—Con los dedos índice y medio da un masaje circular en la muñeca.
—Termina haciendo un molinillo general en el brazo y antebrazo.
—Repite el mismo masaje en el otro brazo.

CARA

—Con los dedos índice y medio, da un masaje de la frente hacia los lados.
—Coloca tus pulgares en el puente nasal y baja por las mejillas.
—Con los dedos índice y medio, haz pequeños círculos a lo largo de toda la mandíbula.
—Coloca tus dedos índice y medio encima de los oídos, pásalos por detrás de ellos y sigue por debajo de la barbilla.

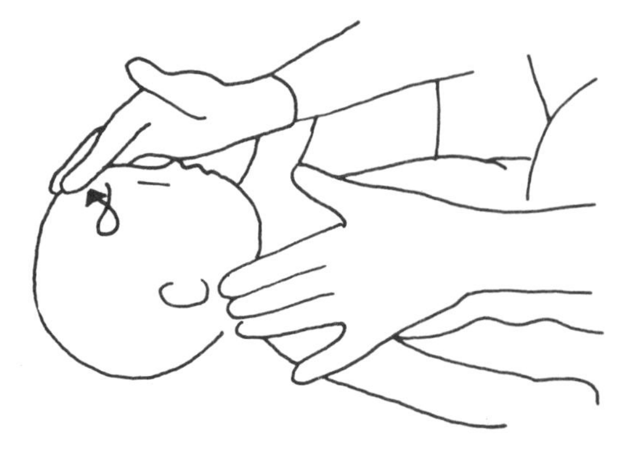

ESPALDA

—Con las palmas de las manos, da un masaje de arriba hacia abajo.
—Desliza la mano derecha desde la nuca hasta las nalgas.
—Ahora repite el mismo movimiento pero llegando hasta los tobillos.
—Con las yemas de tus dedos, haz pequeños círculos alrededor de toda la espalda.
—Con los dedos de la mano separados peina la espalda varias veces desde la nuca hasta las nalgas.

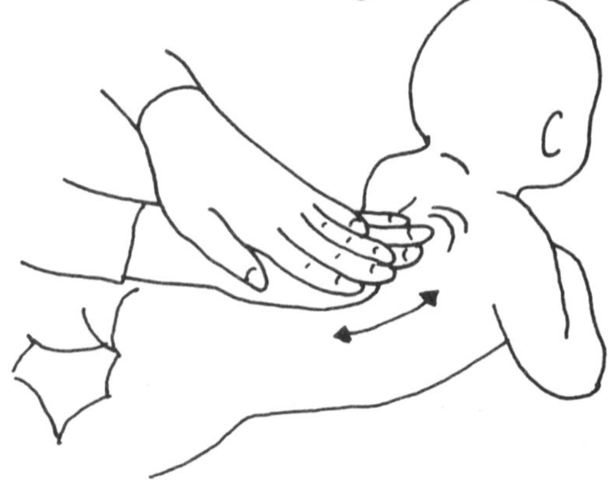

Es muy importante que la sesión de ejercicios se realice en un momento en que tanto tú como el niño se sientan dispuestos. Procura estar tranquila, sin prisas, para lograr una mayor cercanía.

- Coloca la colchoneta sobre el piso y cúbrela con la sábana del niño.
- Coméntale que comenzarán con la sesión de ejercicios y desvístelo tranquilamente.
- Elige sólo algunos de los ejercicios, de acuerdo con la edad del niño, pero procura que en cada sesión haya ejercicios en distintas posturas.
- Recuerda que los ejercicios no son una obligación, sino un juego con el cuerpo que ambos deben disfrutar.

PARA NIÑOS DE SEIS Y SIETE MESES

En posición boca abajo

APOYO CON BRAZOS ESTIRADOS Y PELVIS APOYADA

- El niño se encuentra boca abajo sobre la colchoneta. Separa sus piernas con tu cuerpo. Pon una mano sobre las nalgas del niño y mantén su pelvis pegada a la colchoneta. Con la otra mano levántalo para que se apoye sobre las manos. Si es necesario, presiona ligeramente con tu pulgar sobre el codo del niño. Él mismo levantará su cabeza, con lo cual se estirará la columna. El arco debe notarse desde el cuello hasta el pliegue de las nalgas. Con este ejercicio se fortalece el apoyo sobre los brazos, importante para el gateo.

CARGA REALIZADA POR EL TRONCO

- En la misma posición, cuando ya logra mantener los brazos estirados como en el ejercicio anterior, puedes, con tus manos, ejercer una leve presión sobre su espalda, con tus pulgares entre los omóplatos. Ahora tendrá que hacer más esfuerzo para mantenerse apoyado sobre los brazos.

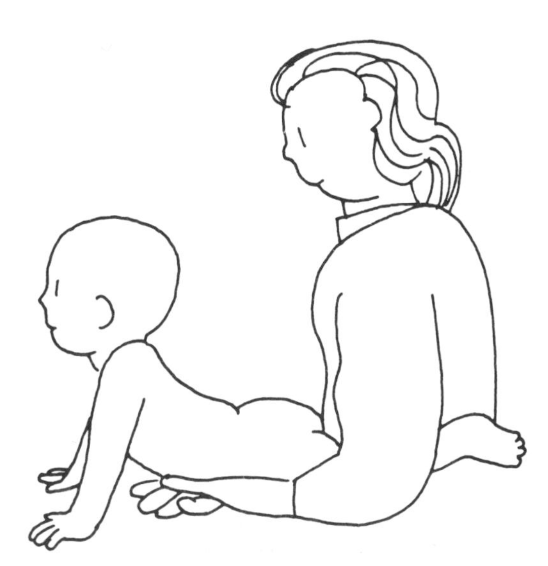

* Estos ejercicios han sido tomados de Bárbara Zukunft-Huber. Agradecemos a Esther Noria Rosales su revisión cuidadosa.

CARGA REALIZADA POR EL PROPIO CUERPO

—En la misma posición, cuando el niño se apoya muy bien sobre los brazos, levántalo por el abdomen con una de tus manos y desplaza el peso del cuerpo sobre sus brazos. En este ejercicio, el niño se apoya sobre los brazos, levanta la cabeza y estira la espalda y las piernas. Cuida que las manos estén bien abiertas y en la misma línea que el antebrazo. Éste es un ejercicio previo para pararse, pero sin cargar a los pies.

Sentado sobre el regazo

APERTURA DE LA MANO CON EL CODO ESTIRADO

—Sienta al niño sobre tu regazo, con su espalda bien apoyada contra ti. Con una mano sujeta el tronco del niño y con la otra levanta su brazo, sujetándolo por el codo, hacia tu cara. Con la mano del bebé, acaricia tu mejilla para que ésta se abra totalmente. El pulgar debe separarse e indicar hacia afuera. Con este ejercicio, el niño practica la relajación de la mano, que más tarde necesitará para «la pinza» y después para la escritura.

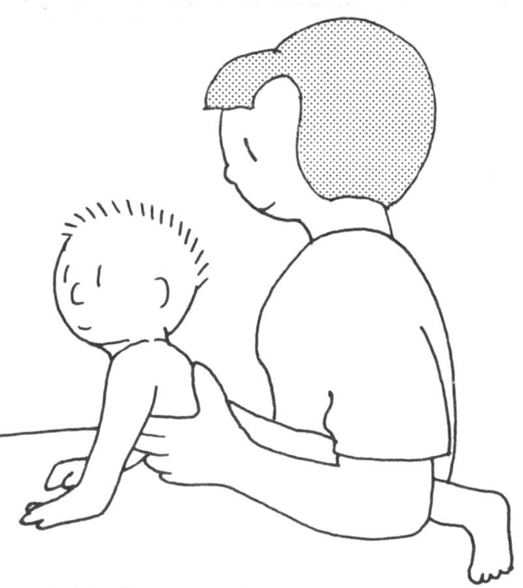

En posición boca arriba

FLEXIÓN DEL CUERPO

—El niño se encuentra boca arriba sobre la colchoneta. Sujétalo por los antebrazos y las pantorrillas, de manera que los codos y las rodillas se toquen. Las plantas de los pies estarán frente a frente. En esta posición, el bebé se toma los pies. Sosteniéndolo así, jálalo un poco hacia ti. El niño separa la cabeza de la colchoneta y acerca más las piernas al pecho. Notarás que hay tensión en sus brazos y que toca su pecho con la barbilla. Suavemente, regrésalo a la posición original. Cuida que la cabeza no caiga hacia atrás, sino que la mantenga erecta con su propia fuerza. Con este ejercicio, se fomenta la posición correcta sobre la espalda, levantamiento de la cabeza y acercamiento de pies y manos.

GIRO DE LA POSICIÓN BOCA ARRIBA A LA POSICIÓN BOCA ABAJO

—Sujeta al niño como en el ejercicio anterior. Gíralo de la posición boca arriba a la posición de costado y levántalo ligeramente hacia ti durante unos instantes. El niño levanta la cabeza y el costado inferior se estira. Haz lo mismo hacia el otro costado. Con este ejercicio fortalece los músculos laterales del tronco.

—*Juego de mano-pie-boca.* El niño se encuentra en tu regazo, con la espalda apoyada sobre tus piernas. Sujétalo de las pantorrillas, separa sus muslos y flexiona sus rodillas de manera que las plantas de los pies se toquen delante de su cuerpo. Acércale los pies a la boca. El bebé tomará sus pies y los introducirá en la boca. Con este juego el niño conoce y entiende mejor su cuerpo con los distintos sentidos.

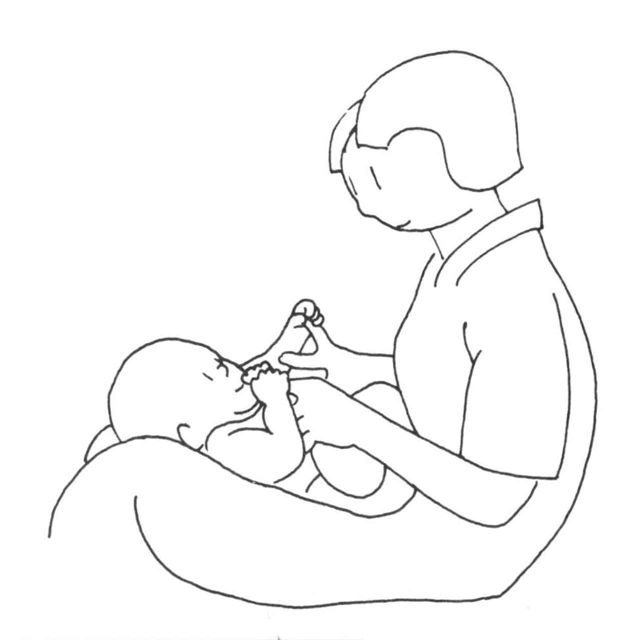

FLEXIÓN DEL CUERPO SOBRE EL REGAZO

—En la misma posición sobre tu regazo, se mantienen las piernas como en el juego de mano-pie-boca. Con una mano, levanta la nuca del niño hasta que la barbilla toque su pecho. El bebé separará la cabeza y la nuca de sus piernas, mientras la barbilla toca el pecho y la espalda está recargada sobre tu regazo. Vigila que el niño mantenga la cabeza en el centro. Con este ejercicio el niño fortalece la musculatura abdominal y cervical.

JUEGO DE MANO-PLANTA DEL PIE-MEJILLA

—En la misma posición sobre tu regazo, levanta los pies del niño hasta que las plantas toquen sus mejillas. Este juego debe hacerse solamente si el niño lo disfruta. Con este juego el niño conoce y entiende mejor su cuerpo.

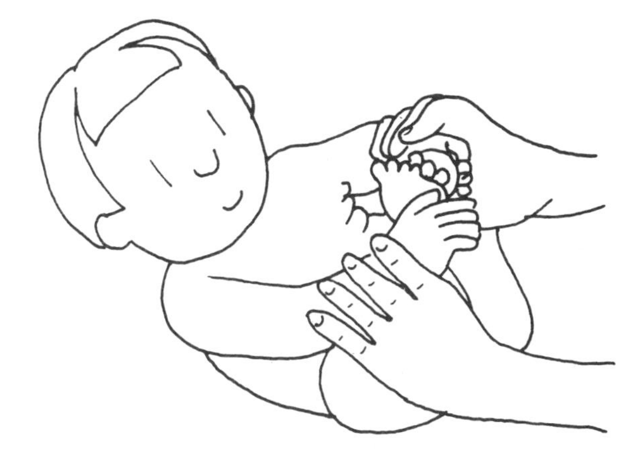

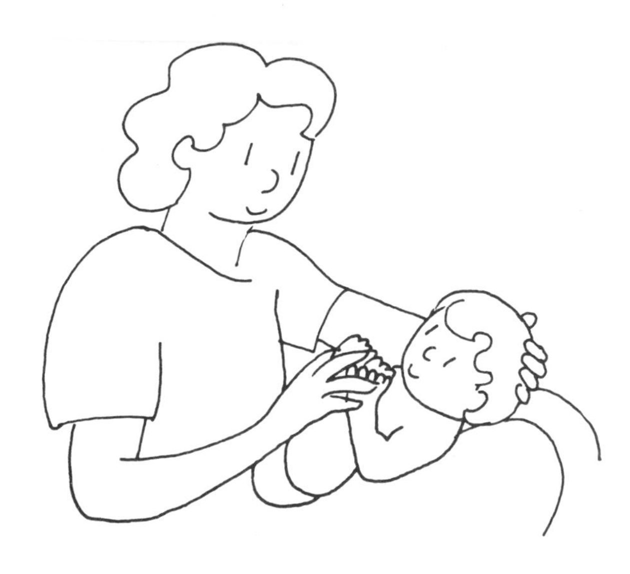

EJERCICIOS PARA LOS PIES

—El niño está sentado sobre tu regazo, con la espalda apoyada en tus piernas. Flexiona sus piernas en las caderas, manteniendo las rodillas muy separadas hasta que las plantas de los pies se toquen. Con este ejercicio se fortalecen los puntos de carga, talón-borde externo del pie-almohadillas del pie, importantes para más adelante ponerse de pie.

—En la misma posición, cuando las plantas de los pies se tocan, apoya tus muñecas sobre las rodillas del niño y con tus pulgares separa las almohadillas de los dedos gordos hasta que puedas ver las plantas de los pies. Los bordes exteriores y los talones permanecen unidos. Ahora separa la mitad anterior de los pies, de manera que solamente se toquen los talones. Este ejercicio mejora la movilidad de las articulaciones del pie.

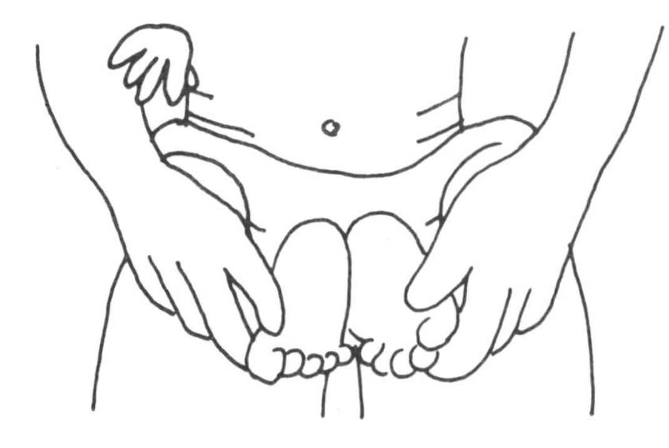

PARA NIÑOS DE OCHO A DIEZ MESES

EL COLUMPIO A GATAS

—El niño está frente a ti, en cuclillas sobre los talones y se apoya sobre las manos con los brazos estirados. En esta posición, puede girar libremente la cabeza, que se mantiene erguida. Sujétalo por las caderas. Ahora sube y baja las nalgas del niño, de forma que su peso recaiga alternativamente hacia adelante y hacia atrás, en un movimiento de balanceo. Cuida que las piernas estén siempre juntas y no se muevan hacia un lado. Con este ejercicio, el niño aprende a balancear el peso de su cuerpo, preparándose para el gateo.

SENTARSE DE LADO

—El niño está en la misma posición que en el ejercicio anterior. Ahora sujétalo por la espalda, encima de las caderas. Empuja las nalgas del niño hacia la derecha y hacia la izquierda, haciendo que se siente sobre una de sus piernas. Con este ejercicio aprende a sentarse, manteniéndose por sí mismo y mejorando su movilidad general.

PARA NIÑOS DE 11 A 14 MESES

LA CARRETILLA

—El niño se encuentra boca abajo en el suelo o colchoneta. Sosténlo por las rodillas estiradas y gira sus piernas hasta que los dedos de sus pies apunten hacia afuera. Sepárale las piernas y levántalas ligeramente. El niño se apoyará sobre las manos con los brazos estirados y levantará la cabeza, al tiempo que estira la espalda y las piernas. En esta postura se trasladará hacia adelante y hacia atrás sobre sus manos. Con este ejercicio el niño fortalece todos los grupos musculares que necesita para estar de pie sin cargar el peso sobre los pies.

EL JUEGO DE LA CARRETILLA

—Siéntate en el suelo sobre tus talones. Pon al niño boca abajo con el vientre sobre tus muslos. Él se apoyará con las manos en el suelo, mientras tú lo sujetas por los muslos, manteniendo sus piernas separadas. Ahora gira sus piernas, estiradas, hasta que los dedos de los pies indiquen hacia afuera. El niño se apoya sobre los brazos estirados y levanta la cabeza, estirando la columna vertebral, las caderas y las piernas; tú lo puedes comprobar por la hendidura de la espalda que se forma desde la nuca hasta el pliegue de las nalgas. Con este ejercicio fortalece los músculos que necesita para estar de pie, pero sin forzar los pies con una carga que aún no están preparados para soportar.

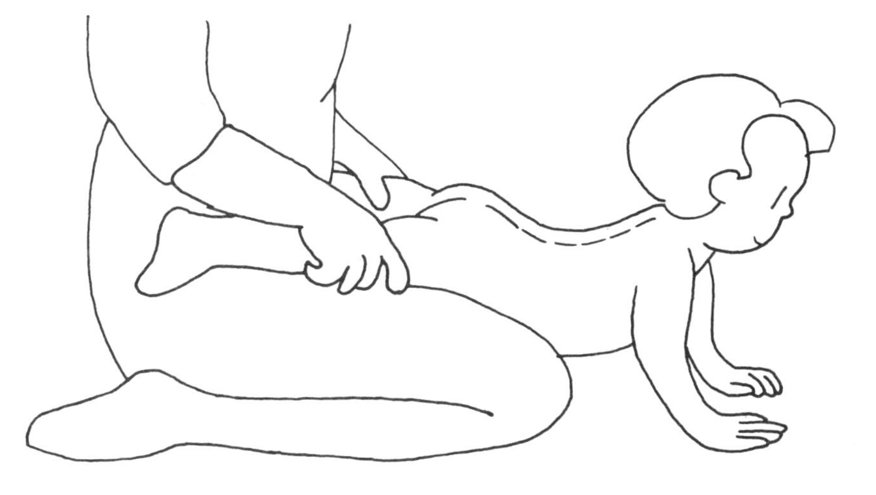

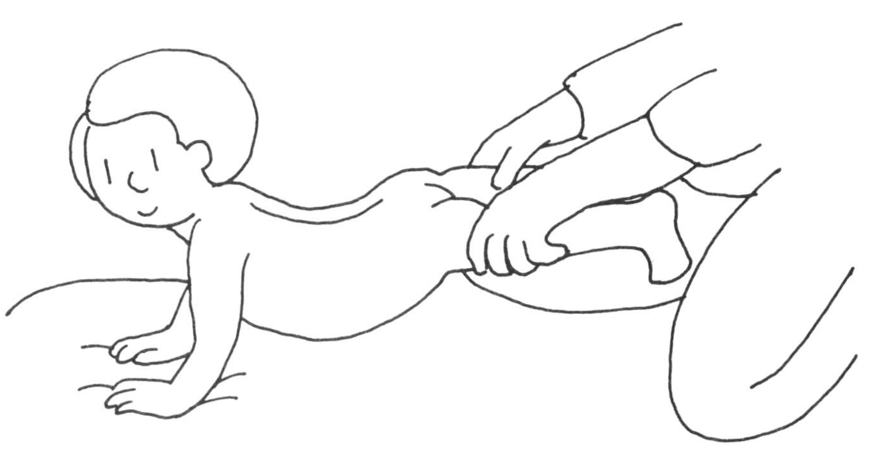

LAS CUCLILLAS

—Siéntate en el suelo con las piernas abiertas y sienta al niño delante de ti. Sujétalo por las rodillas y flexiónale las piernas en las articulaciones de las rodillas y caderas, cuidando que ambas rodillas lleguen a estar a los lados de su tronco. El niño se apoyará sobre sus manos; si no, empújalo ligeramente con tu tronco. En esta posición, practica la flexión de la articulación de rodillas y caderas, el equilibrio del tronco y la movilidad de los pies. Ésta es una posición que el niño tomará en algunas ocasiones para realizar sus juegos.

REACCIÓN DE EQUILIBRIO EN CUCLILLAS

—Estando el niño en cuclillas y con ambas manos apoyadas sobre el suelo, como en el ejercicio anterior, levántale la parte anterior de los dedos de ambos pies, de manera que solamente los talones tengan contacto con el suelo. Cuida que las rodillas estén más adelantadas que los talones. Con este ejercicio se estiran los tendones de los talones, aumentando la movilidad del pie, al tiempo que practica la inclinación del cuerpo hacia adelante para apoyarse sobre las manos y mantener el equilibrio. Este mismo ejercicio lo puedes hacer sentando al niño en cuclillas, con las piernas abiertas, sobre una de tus piernas.

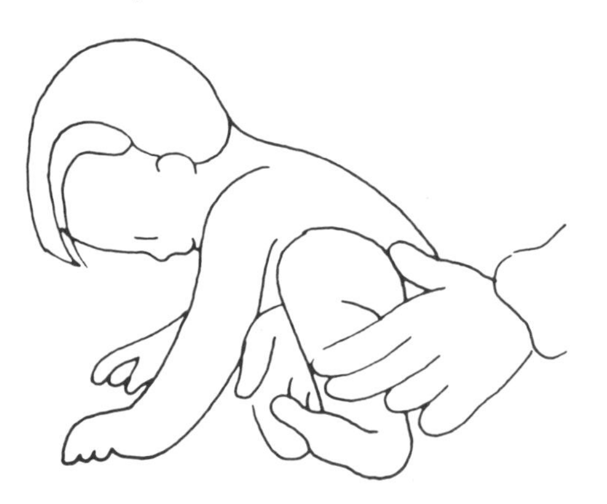

REACCIÓN DE EQUILIBRIO ESTANDO DE PIE

—Siéntate en el suelo y coloca al niño de pie delante de ti. Tu pierna se encuentra entre las piernas del niño. Con una mano, sujeta la rodilla del niño, de adentro hacia afuera y con la otra levanta la mitad anterior del pie, de forma que el talón soporte la carga. Si el niño puede mantener el estiramiento en la cadera y rodilla, empuja ligeramente con tu cuerpo al niño hacia adelante y hacia atrás. Practica el traslado del peso hacia atrás hasta que la mitad anterior del pie se levante por sí sola como reacción de equilibrio. Con este ejercicio el niño aprende a mantener el equilibrio estando de pie.

REACCIÓN DE EQUILIBRIO CON AMBOS PIES

—El niño está de pie delante de ti, como en el ejercicio anterior. Levanta la mitad anterior de ambos pies, de forma que la carga recaiga sobre los talones. Las rodillas y las caderas deben permanecer estiradas; el tronco se inclina hacia adelante y los brazos se extienden hacia adelante. Con este ejercicio practica el equilibrio estando de pie.

5. EL DESARROLLO DE LAS NIÑAS Y LOS NIÑOS PEQUEÑOS

En este periodo de la vida humana tienen lugar los cambios más notables. Nunca más el desarrollo será tan rápido ni se adquirirán habilidades tan fundamentales para la vida como el habla, la manera de relacionarse con los demás, la marcha y en general el conocimiento y dominio del propio cuerpo. Esto lo hace un periodo de especial importancia y trascendencia.

Cuando un bebé nace tiene ya toda una historia con relación a su propio desarrollo; nace con un físico definido (aunque éste va a seguir cambiando a lo largo del tiempo), con algunos reflejos que le ayudarán a sobrevivir (como el de la succión) y con una capacidad para expresar, a través del llanto, sus estados emocionales, ligados a sus propias necesidades fisiológicas y afectivas. Pero sobre todo, el bebé nace con un gran potencial para crecer y desarrollarse de manera totalmente única y personal.

Piensa en los niños que conoces; cada uno ha gateado y caminado en un tiempo distinto, cada uno tiene diferentes ritmos de sueño y vigilia, a cada uno le gustan cosas distintas para comer; no hay una edad determinada en la que aprendieron a hablar ni tampoco las primeras palabras fueron las mismas. Cada niño construye su propio camino de desarrollo.

Cada niño construye su propio camino de desarrollo.

Este camino parte de la dependencia absoluta que tiene el recién nacido hacia los adultos que lo rodean y llega hasta la autonomía relativa que va conquistando el adulto a lo largo de su vida.

El sistema de comunicación del bebé, a través del llanto o de movimientos y gestos corporales, tiene un gran efecto sobre los adultos que lo rodean. Lo oímos llorar y acudimos pronto a ver qué le sucede, le damos de comer, lo cambiamos, lo abrazamos, le ofrecemos lo que necesita. Esta capacidad de impactar a los adultos es la que le asegura su sobrevivencia.

Si observas con atención a los distintos bebés que tienes cerca notarás cómo, a pesar de que no pueden hablar ni señalar, son capaces de comunicar una gran cantidad de sensaciones, sobre todo a su mamá. Muchas veces oímos decir: «ese llanto no es de hambre, es de frío», «cuando está contento da pataditas», o cualquier otra frase que nos muestra lo mucho que los adultos y los bebés pueden comunicarse sin necesidad de hablar.

Todas las habilidades que va adquiriendo le permitirán responder a los estímulos del medio cada vez con

De sus movimientos y de sus actitudes podrás deducir muchas de las características que tienen en esta primera parte de su vida.

mayor eficiencia, construyendo así su pensamiento y su inteligencia.

La autonomía o capacidad para satisfacer sus necesidades por sí mismo se va construyendo a medida que se adapta activamente al medio que lo rodea; es decir, en la medida en que tiene contactos que lo transforman y le van permitiendo el dominio de su propio cuerpo y del espacio circundante. Si en algún momento dependía de que le acercáramos los objetos, en el momento en que se arrastra, gatea o camina puede tomarlos por sí mismo. Si antes necesitaba que lo alimentáramos, en cuanto pueda usar sus manos para manipular objetos toma él solo el biberón e incluso la papilla.

¿Qué pasa en las distintas etapas del desarrollo de los niños? ¿Qué puedo ofrecerles como educadora para apoyarlos en su desarrollo? ¿Cómo puedo valorarlos para saber si su desarrollo es normal?

Primero, es muy importante que observes a los niños con detenimiento, procurando intervenir lo menos posible en sus actividades. De sus movimientos y de sus actitudes podrás deducir muchas de las características que tienen en esta primera parte de su vida. Los gustos, los intereses y las necesidades que tienen nos los dicen ellos mismos con su actividad espontánea. Una observación constante y cuidadosa también puede ayudarnos a detectar posibles problemas o alteraciones en su desarrollo. Es necesario que con mucha frecuencia te sientes a mirarlos, a descubrir sus habilidades, a disfrutar de sus intentos y sus logros, dejándolos moverse libremente.

Además de esta observación, es necesario conocer cuáles son los cambios más importantes que generalmente se dan en estos primeros meses de vida. Para facilitar este estudio hemos dividido el desarrollo en tres aspectos: cognoscitivo (del pensamiento), emocional (de los afectos y las relaciones con los demás) y motor (del cuerpo, su percepción, sus movimientos y habilidades). Analizar el desarrollo de esta manera nos puede ayudar a entender los complejos cambios que suceden al interior del niño, aunque por supuesto los tres aspectos están íntimamente ligados y se presentan simultáneamente en la actividad cotidiana.

Seguramente recibirás en tu Estancia niños que tienen ya los seis meses de edad; sin embargo, conviene que tengas una idea general de cómo es su desarrollo desde el momento de su nacimiento, para que puedas apreciar los cambios en un contexto integral.

EL DESARROLLO COGNOSCITIVO

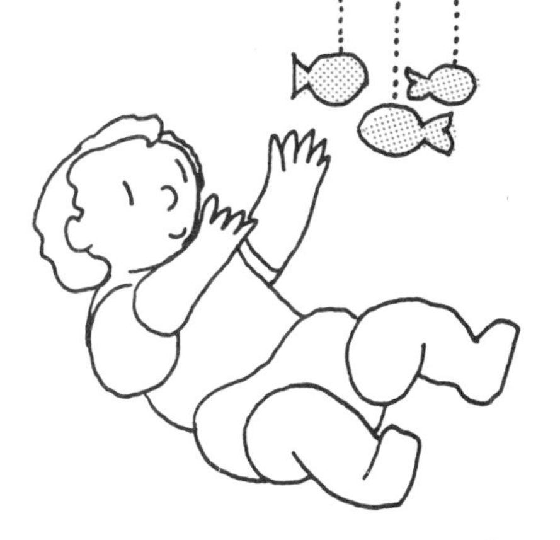

El bebé desarrolla activamente su inteligencia en los primeros meses de vida mediante encuentros crecientes con su medio. Cuando nace, se encuentra equipado con todos sus sentidos y unos cuantos reflejos que le ayudarán a sobrevivir, como el llanto y la succión. En un principio (durante el primer mes de vida), estos reflejos se accionan de manera automática; por ejemplo, si lo cargamos y lo acercamos a nuestro cuerpo volteará la cabeza hacia nosotros, buscando el pecho; si le acercamos algún objeto a la boca, intentará mamarlo. De esta manera ejercita el reflejo y aprende a conocer diferencias en los objetos al chuparlos. Poco a poco comienza a discriminar aquellos objetos que desea chupar y aquellos que no.

En este momento, para él sólo existe lo que puede ver. Su mundo se limita a sí mismo y a sus acciones, por lo que si una persona desaparece de su vista, desaparece también de su mente.

Los primeros patrones de conducta se forman cuando el bebé, accidentalmente, hace algo que le provoca placer y luego intenta repetir esta acción. Por ejemplo, si acerca su dedo a la boca y lo chupa, intentará redescubrir la acción para que esa sensación placentera se repita. Después de muchos ensayos y errores, llega a producir un patrón de movimiento que puede repetir a voluntad. En estos primeros momentos no inventa intencionalmente nuevas acciones, sino que reproduce las conocidas. Estas acciones se limitan a su propio cuerpo.

Pasados los tres primeros meses el niño tiene la capacidad de reproducir patrones de conducta hacia el mundo externo. Esto lo lleva a tener un interés cada vez mayor en todo lo que lo rodea y lo impulsa a moverse más, a intentar alcanzar los objetos, a rodarse, a arrastrarse, a gatear... Por ejemplo, si accidentalmente mueve un objeto con la mano o con el pie, intentará repetirlo para provocar la misma reacción. Su horizonte se extiende y comienza su interés por lo novedoso.

Entre los cinco y los ocho meses el niño puede comenzar a anticipar los resultados de sus acciones. Por ejemplo, si tira un juguete, buscará con la vista hacia el lugar donde él espera que caiga. Hará lo mismo si otra persona es quien avienta el juguete. Puede también reconocer y buscar objetos que se encuentran parcialmente ocultos, ya que cuando un objeto desaparece de su vista, no desaparece de su mente, tiene ya imágenes mentales.

De aquí en adelante no sólo repetirá las acciones que ya conoce, sino que de manera muy activa inventará otras nuevas. Por ejemplo, puede tirar un mismo objeto desde diferentes alturas, como intentando descubrir si suena diferente, si cae en diferentes lugares, si rebota, si rueda, etcétera. El niño cambia a voluntad sus acciones sobre los objetos, encontrando y comprobando las propiedades de éstos.

Puede ya buscar objetos que se hayan escondido en su presencia.

Irá modificando sus patrones de conducta para adaptarse a nuevas situaciones, es decir, experimenta para lograr lo que desea, y si no resulta, prueba otra conducta.

EL DESARROLLO EMOCIONAL

Desde el momento en que nace el bebé muestra, con sus conductas, si se encuentra o no tranquilo. Cuando tiene hambre, frío, sueño, dolor o se siente en peligro, llorará y tensará los músculos de todo el cuerpo. Cuando está tranquilo y tiene sus necesidades vitales cubiertas se verá relajado. Estas respuestas se irán refinando y diferenciando más conforme avanza su desarrollo. Las reacciones que aprenda en esta etapa de la persona que lo cuida (la madre principalmente) serán la base de sus relaciones futuras.

Desde el nacimiento, se forma un *vínculo de apego* entre la madre y el niño, éste la reconoce por medio de todos sus sentidos. Mientras es alimentado, el niño se encuentra tranquilo y relajado, esto le permite mirar y examinar detalladamente la cara de su madre. Si ella lo mira a los ojos, le habla, le sonríe, esta conducta aumentará el interés y el gusto del niño por conocerla. Más adelante le sonreirá, la tocará, jugará con su cabello. Mientras más placentera para el niño sea la respuesta de la madre, más seguridad tendrá en sí mismo y por lo tanto crecerá su interés por explorar lo que le rodea.

En la Estancia, es muy importante que las educadoras puedan ser un sustituto de la madre que sea agradable para cada uno de los niños. Así, es conveniente dar el biberón en brazos, sosteniendo adecuadamente su cuerpo para darle un sentimiento de sostén y de seguridad, mirando al niño a los ojos y hablando o jugando con él.

Durante los primeros días en que el niño acude a la Estancia es muy posible que sienta angustia al separarse de su madre y al relacionarse con personas que son extrañas para él. Será necesario no desesperarse, darle su tiempo y estar lo suficientemente cerca de él para formar una nueva relación que le permita estar tranquilo y con ganas de conocer su ambiente. En este sentido, es muy importante que no haya cambios en el personal que lo está atendiendo.

Durante los primeros meses, el bebé está centrado en conocer su propio cuerpo y en relacionarse con los adultos que lo cuidan.

Conforme avanza su desarrollo motor e intelectual, se interesa cada vez más por todo lo que lo rodea. Cuando puede desplazarse se acrecienta su interés y sus posibilidades de explorar, ya que adquiere mayor independencia del adulto. Todo lo que mira, prueba, huele, oye o toca le atrae fuertemente; esto le ayudará a conseguir aún más independencia del adulto.

En este momento comienza el aprendizaje de las reglas básicas de comportamiento social, como saludar, recoger los juguetes, ir al baño. Para que fortalezca su autonomía es importante que pueda elegir, si desea saludar o prefiere no acercarse, si quiere tomar la cuchara o prefiere comer con las manos, si prefiere estar solo o con la educadora. Al mismo tiempo, tendrá que aprender algunos límites para sus deseos.

EL DESARROLLO MOTOR

El control y conocimiento progresivo de su cuerpo y de sus capacidades y habilidades son lo que permite al niño explorar, moverse, formar patrones de conducta, inventar nuevos patrones y adaptarlos a otras situaciones para lograr lo que desea. Su cuerpo es el instrumento con el que cuenta para conocer, para gozar, para relacionarse con los demás.

Es por esto que le damos mucha importancia al cuidado del desarrollo motor. Sin embargo, la propuesta que hacemos parte del niño mismo, de las posibilidades y las adquisiciones que logra cada uno en particular. **El desarrollo motor se logra mejor cuando hay poca intervención de parte del adulto**.

El niño, en los primeros meses de vida, nos dice cómo está y qué siente básicamente en un lenguaje corporal. Cuando no está a gusto tensa los músculos, arquea la espalda, llora; cuando está a gusto se ve relajado.

Si observas con cuidado a un bebé, podrás notar que al estar acostado de espaldas es muy activo, voltea a mirar de un lado a otro, juega con sus manos, con sus pies; en cambio, al estar boca

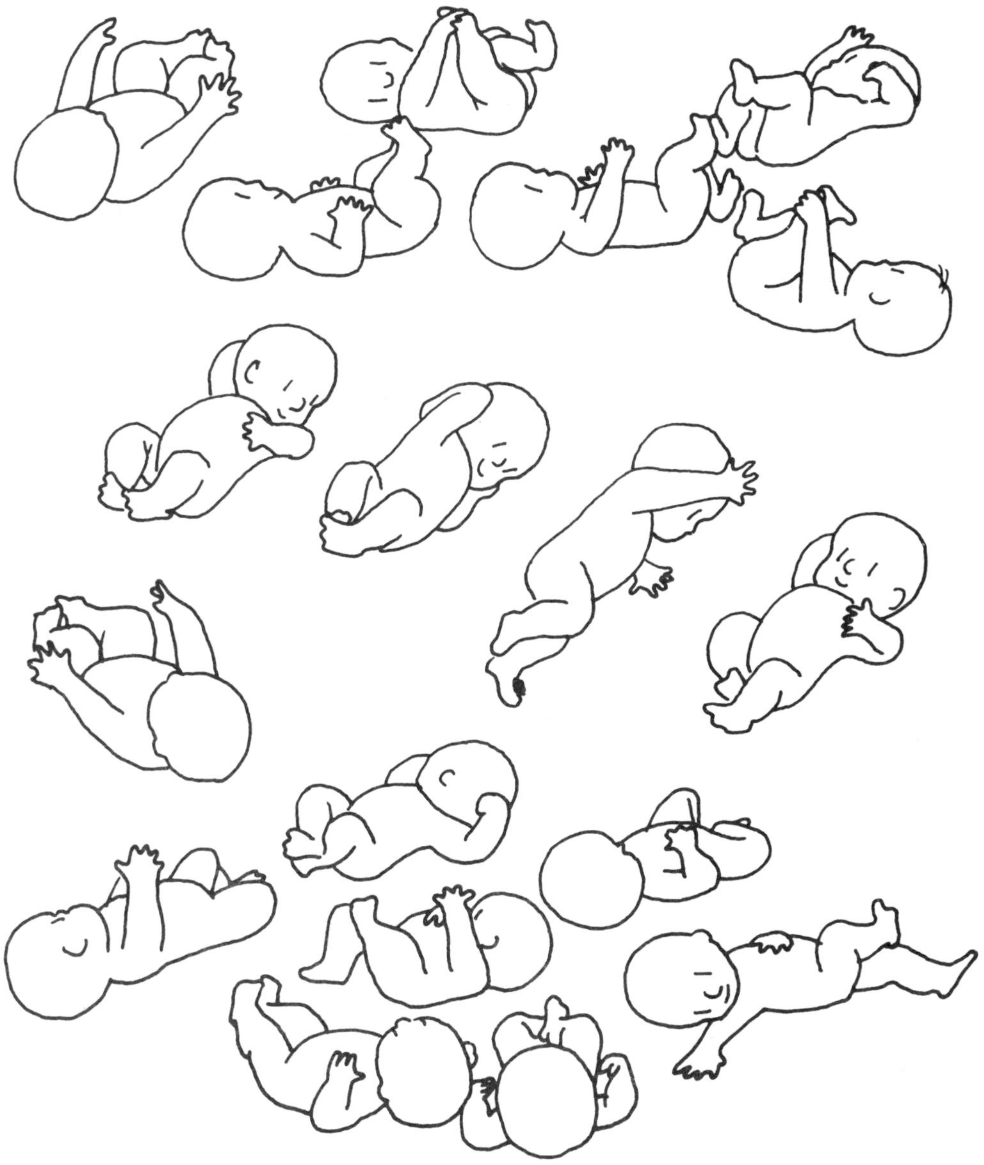

Estos dibujos muestran el desarrollo motor del niño, desde la postura boca arriba hasta la caminata.

abajo se encuentra inmovilizado, le cuesta trabajo voltear de un lado a otro porque el peso de la cabeza es mucho, esto lo fuerza a tensar los brazos para poder erguir la cabeza; se encuentra «clavado» en esta postura. Lo mismo sucede cuando lo sentamos. No puede aún sostenerse y por ello usa las manos para detenerse y no caer, lo cual le impide jugar, chupar, tocar, aventar.

Las posturas impuestas no sólo le restan movilidad y posibilidad de exploración, también lo hacen dependiente del adulto, ya que por sí mismo no puede desplazarse y si pierde su juguete necesita la ayuda del adulto incluso para continuar su juego.

Así pues, nuestra tarea como educadoras consistirá simplemente en propiciar el movimiento libre, autónomo, del niño. Ofrecerle un espacio amplio, seguro para mirar, para

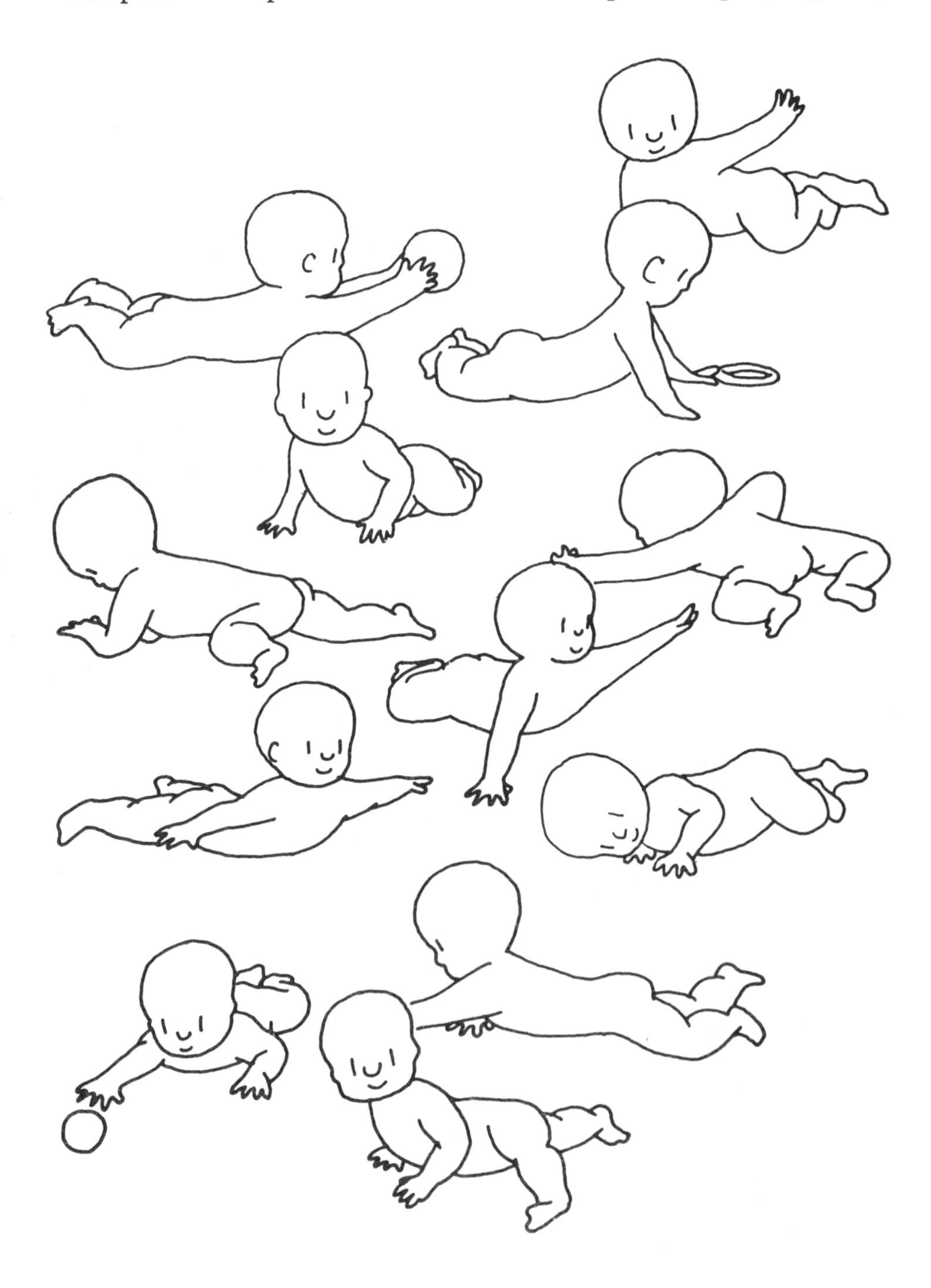

desplazarse, para relacionarse con otros niños y con nosotras; vestirlo con ropa que no obstaculice sus movimientos; tener juguetes adecuados, llamativos, seguros, en gran variedad de colores, tamaños, texturas y formas. Pero lo más importante de nuestro papel es observar al niño desde lejos, con respeto, sin intervenir, pero con la cercanía y la seguridad suficientes como para animarlo a moverse. Esta actitud te permitirá gozar más plenamente de los niños y de sus acciones.

Aquí te presentamos, sin una correspondencia con la edad, la secuencia del desarrollo de los movimientos de los niños pequeños cuando se les permite moverse con plena libertad.

Como podrás observar, es muy distinta de otras concepciones sobre el

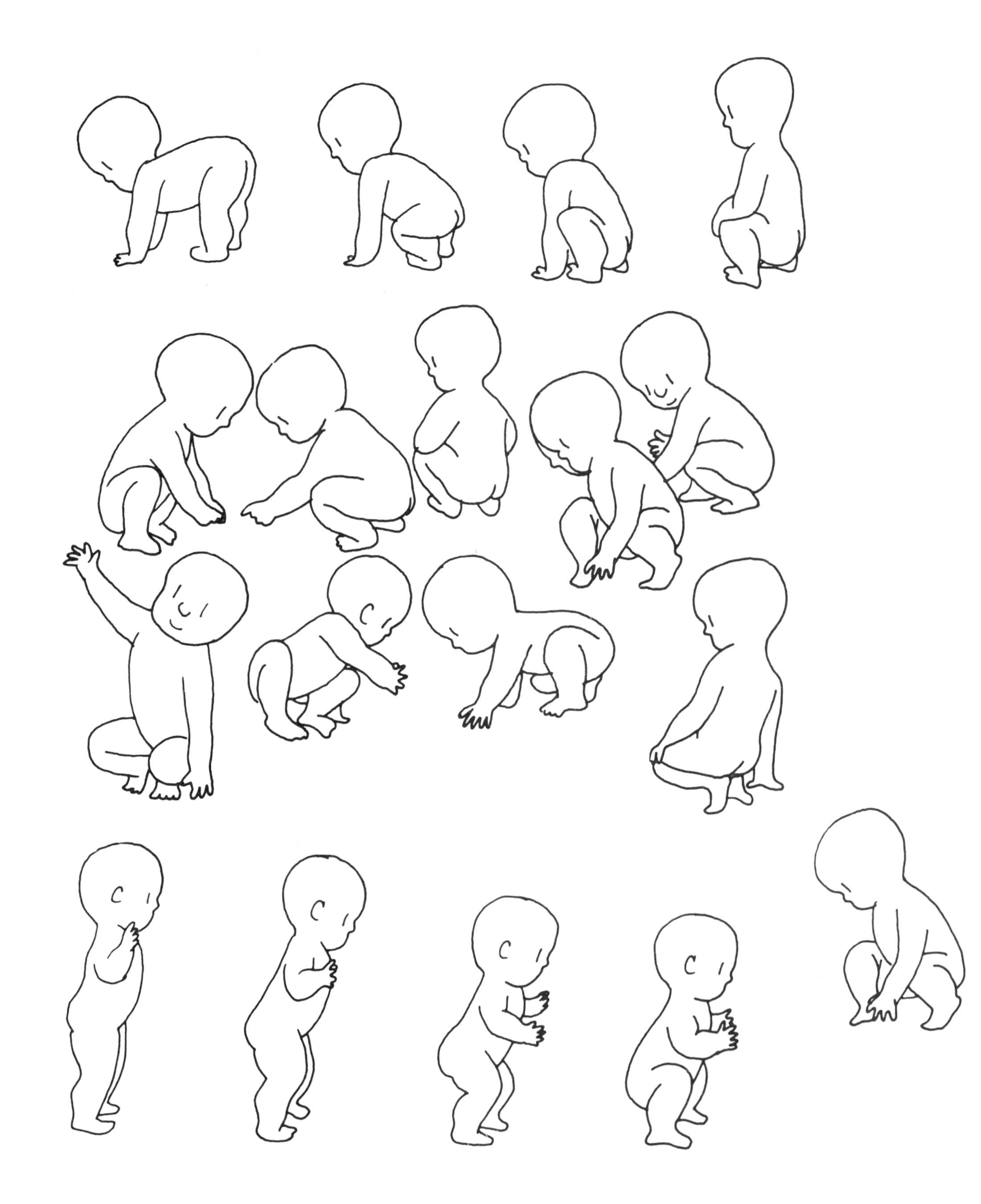

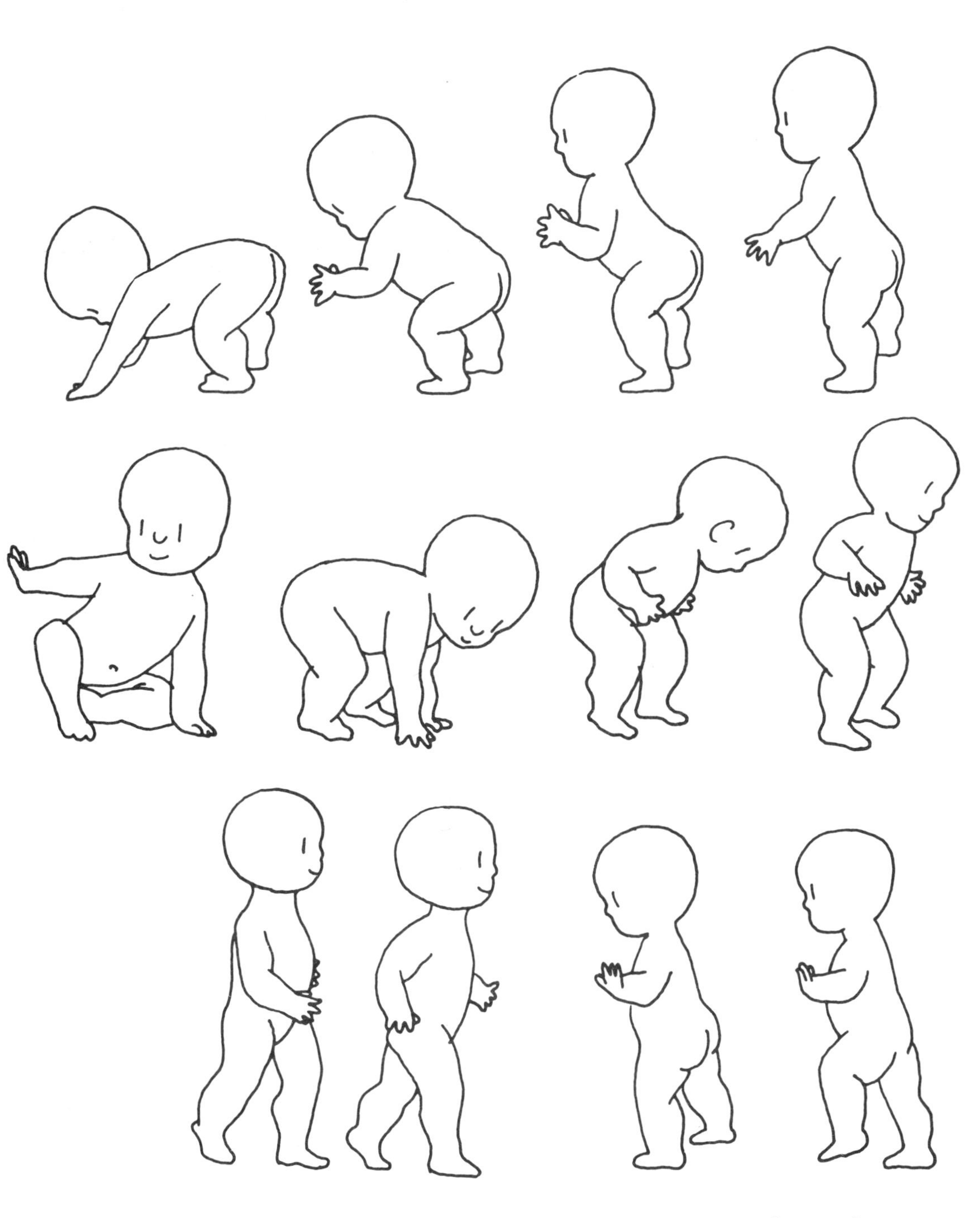

desarrollo motor, donde nos indican a qué edad sostiene la cabeza, a qué edad debe sentarse, gatear, caminar, etcétera.

No buscamos que los niños se desarrollen más rápido ni que sean los mejores; simplemente queremos ofrecerles las mayores oportunidades para que gocen de su cuerpo y de su ambiente, y así construyan su autonomía. Esto se logra sin imposiciones, respetando sus iniciativas, dejando que los niños adopten la postura que deseen, se muevan según sus propias habilidades, necesidades e intereses, elijan lo que desean ver, tocar, aventar. Nuestra tarea consiste en crear un ambiente seguro que estimule su exploración.

LAS NIÑAS Y LOS NIÑOS PREESCOLARES DE TRES A SEIS AÑOS

El ambiente debe favorecer la libertad de movimiento de niñas y niños, así como permitir la elección libre de las actividades y la interacción entre ellos, con el material y con las educadoras.

En este salón se encuentran las niñas y los niños desde los tres hasta los seis años de edad. Este rango amplio de edad enriquece el trabajo de grupo y de equipo, dando oportunidad a los más chicos de aprender de los mayores y a éstos la posibilidad de ayudar a los más pequeños cuando lo necesitan. Las educadoras tienen que estar atentas para ofrecer estímulos de muy distintos niveles de dificultad, adecuados a cada edad y nivel de desarrollo.

Te recomendamos que en este salón haya un máximo de **30 niños atendidos por dos educadoras** y que el espacio interior tenga un mínimo de 36 m^2.

En este periodo los niños necesitan mucho espacio, ya que les gusta moverse, caminar por el salón, llevar su material de un lado a otro, jugar en el piso adoptando diversas posturas.

Una característica particularmente importante en esta etapa es que los niños se interesan mucho en la relación con los de su edad. Los padres, la educadora y los adultos que lo rodean siguen proporcionando la seguridad básica, pero ahora disfruta más de la compañía de otros niños y tiene preferencia por ciertos amigos. Por esto hay que pensar en cómo disponer los muebles del salón, de tal manera que les ofrezca múltiples posibilidades de estar con los otros niños, de jugar, de organizarse, de poner reglas y de explorar sin requerir la presencia directa de la educadora.

1. CÓMO SE PREPARA EL AMBIENTE PARA LAS NIÑAS Y LOS NIÑOS PREESCOLARES

El ambiente debe favorecer la libertad de movimiento de niñas y niños, así como permitir la elección libre de las actividades y la interacción entre ellos, con el material y con las educadoras.

Para que el niño se mueva con libertad, se requiere que se sienta seguro y a gusto; por ello es importante cuidar dos aspectos: que haya espacios amplios para circular y trabajar en el piso y que el ambiente y los materiales se parezcan lo más posible a su ambiente cotidiano.

En el trabajo con los niños preescolares es necesario contar con un salón, baño, cocina y un patio o jardín.

El salón debe tener al menos 36 o 40 m^2 —o bien dos más pequeños— y con una cocina instalada aparte, pero contigua al salón. También se tienen que considerar dos o tres baños. El comedor puede estar aparte y ser de uso común para los salones de pequeños y preescolares, o bien el mismo salón de trabajo puede adaptarse para comer.

Para el patio o jardín lo ideal es contar con un espacio lo suficientemente amplio para que los niños puedan jugar libremente a la pelota, a las carreras, a rodar llantas, etcétera, así como disfrutar de un espacio con plantas naturales. Si estamos considerando un total de 30 niños preescolares, el espacio exterior no debe ser menor a 80 m^2.

PARA PREPARAR EL AMBIENTE VAN A NECESITAR

—Ocho mesas de aproximadamente 45 cm de ancho x 65 cm de largo x 50 cm de altura, repartidas en los Espacios de Trabajo.
—Un tocador —o una mesa arreglada a manera de tocador.
—Sillas de aproximadamente 29 cm de ancho x 26 cm de largo x 28 cm de altura, una para cada niño y educadora.
—Estantes, huacales o repisas para cada uno de los Espacios de Trabajo.
—Uno o dos lavaderos pequeños.
—Dos huacales grandes muy firmes —pueden ser de varas— para construir una cama.
—Pizarrón de aproximadamente 50 x 80 cm.
—Dos espejos de 40 x 100 cm aproximadamente.
—Un espejo de 30 x 30 cm aproximadamente.
—Perchero para colgar morrales, suéteres, batas o baberos, con un lugar específico para cada niño.
—Repisa para poner los vasos y los cepillos de dientes, con un lugar específico para cada niño.
—Dos o tres colchonetas para dormir, de aproximadamente 80 x 150 cm.
—Dos o tres tapetes grandes, de aproximadamente 100 x 150 cm (pueden ser de plástico, lona, tela o cartón grueso).
—De seis a ocho tapetes medianos, de aproximadamente 70 x 100 cm (pueden ser de plástico, lona, tela o cartón grueso).
—10 a 12 tapetes chicos, de aproximadamente 40 x 50 cm (pueden ser de plástico, lona, tela o cartón grueso).
—Tres cajas grandes para guardar los tapetes.
—15 protectores de plástico de 35 x 25 cm.
—Estímulos para los Espacios de Trabajo (ver p. 102 y ss.).
—Sábana para cada niño (cada uno la trae de su casa).
—Cuatro o cinco cojines grandes para la biblioteca.
—Un tapete, de aproximadamente 1 x 1 m, para la biblioteca.
—Utensilios para comer.
—Utensilios para la preparación de la comida.
—Material para el aseo del salón: escoba, recogedor, jalador, jerga, sacudidor, cubeta, etcétera. (ver *Cuidado del ambiente*, p. 125).
—Adornos para el salón (cuadros hechos con recortes de revistas, dibujos de los niños, etcétera).
—Macetas y plantas naturales.
—Columpio o resbaladilla, opcional.
—Equipo de trabajo de carpintería y pintura.

Cada uno de los muebles y utensilios que van a utilizar en el ambiente se debe revisar con mucho cuidado. Todo debe ser seguro para el uso de los niños y de las educadoras. Especialmente hay que fijarse que no haya cables pelados, puntas filosas, superficies con astillas, vidrios rotos.

CON ESTOS MUEBLES Y ELEMENTOS VAN A CREAR CADA UNO DE LOS LUGARES QUE SE NECESITAN PARA EL TRABAJO CON LOS NIÑOS:

- **Lugar para trabajo individual y de equipo**
- **Lugar para trabajo de grupo**
- **Lugar para juego libre**
- **Lugar para comer**
- **Lugar para dormir**

Lugar para trabajo individual y de equipo

Para el trabajo individual y de equipo se usarán el salón —o salones—, la cocina y el patio.

Dividan el salón en cuatro *Espacios* donde los estímulos estarán al alcance y a la vista de los niños:

Casa y Comunidad
Biblioteca
Taller de Artes
Taller de Ciencias

Distribuyan estos **espacios** de manera que en cada uno se pueda colocar una mesa, uno o dos estantes y algunos tapetes en el piso. La distribución dependerá de las dimensiones reales de su salón. Aquí pueden ver un ejemplo:

El espacio de **Casa y Comunidad** se arregla lo más parecido al ambiente cotidiano de los niños.

Coloquen juntos los dos huacales de varas, de manera que formen una pequeña cama y amárrenlos firmemente para que no se separen. Le pueden poner encima una colchoneta, una almohada, una sábana y una colcha. Cerca de la cama se pone el tocador (pueden ser una mesa y una silla) y allí se fija el espejo chico.

Coloquen también dos de las mesas, cada una con una silla por si alguno desea trabajar sentado.

Aprovechando una de las esquinas, fijen los dos espejos grandes a una altura tal que los niños puedan verse de cuerpo completo, de frente y de espaldas.

Si lo desean, pueden poner también un burro de planchar, un teléfono o cualquier otro utensilio o aparato que se encuentre normalmente en las casas de la comunidad.

Coloquen los estantes para que los estímulos estén al alcance de los niños.

El material para el aseo —escoba, recogedor, jerga, jalador, cubeta, etcétera— se puede colocar dentro o fuera del salón, de preferencia colgado a la pared por medio de armellas y alcayatas.

Fuera del salón, ya sea en la cocina o en el patio, se coloca el lavadero o un fregadero al alcance de los niños, para que laven los trastes y la ropa. Si no tienen lavabo, también aquí se lavan las manos y los dientes. Cerca del lavadero o lavabo se coloca la repisa con los cepillos de dientes y los vasos.

El perchero para guardar los morrales puede colocarse en la **Casa**, ya sea dentro del salón o fuera de él, según el espacio de que dispongan, pero considerando que cada uno debe tener un lugar propio y marcado con su nombre.

La **Biblioteca** debe estar muy bien iluminada y tranquila. Aquí pueden colocar los estantes para el material y los libros que estén al alcance de los niños. En un lugar los estímulos de lectura y en otro los de escritura.

El tapete y los cojines se colocan junto al estante que contiene el material de lectura. Las dos mesas con su silla se colocan cerca del estante que contiene el material de escritura. El pizarrón se fija a la pared al alcance de los niños en un lugar donde no se estorbe el paso.

En el **Taller de Artes** van a necesitar el estante para colocar los materiales al alcance de los niños y otro más para guardar el papel y los protectores de plástico.

Las dos mesas pueden estar cubiertas por un protector plástico, por cartón grueso o por varias capas de periódico.

Se puede amarrar un mecate entre los muebles o a la pared para que los niños cuelguen sus trabajos mientras se secan.

Coloquen también una pequeña repisa para guardar a la mano el resistol, las pinturas, el estambre y demás materiales que se van proporcionando cuando se requieren para el trabajo en este *espacio*.

Adornen el Taller de Artes con los trabajos de los niños, exponiendo el que cada uno elija.

El **Taller de Ciencias** debe tener buena iluminación, ya que aquí se colocará la mesa de observación (ver página 136). Ésta consiste en una mesa cubierta por un mantel protector sobre la que se colocarán distintos elementos para que los niños los observen, los toquen, los conozcan.

Aquí también se necesita mucho espacio libre para trabajar en el piso, ya sea dentro del salón o en el patio. El estante para guardar el material estará al alcance de los niños.

Dos mesas con sus sillas se colocan junto a la pared o en algún otro lugar donde no estorben el paso.

Lugar para trabajo de grupo

El trabajo de grupo se puede realizar en el patio o dentro del salón. Cuando usen el salón, despejen un área donde quepan todos sentados en el piso o en sillas (dependiendo de la actividad).

En cada uno de los espacios que ya crearon para el trabajo individual coloquen un estante que esté fuera del alcance de los niños para que guarden únicamente el material que se va a usar en grupo.

Lugar para juego libre

El juego libre se realiza en el patio. Aquí pueden colocar los juguetes que se usan en estas actividades, como pelotas, llantas, zancos, reata, sacos para brincar, tragabolas, etcétera.

Si cuentan con suficiente espacio, consideren la idea de colocar una changuera, un columpio o una resbaladilla.

Procuren que haya muchas plantas naturales, ya sea sembradas en el piso o en macetas, pero cuiden que éstas no les resten espacio ni libertad de acción a los niños.

Lugar para comer

El lugar para comer puede ser el mismo salón, utilizando las mesas de los espacios de trabajo, (protegiéndolas con manteles) y poniendo una silla para cada niño y educadora. Al terminar de comer se devuelven todas las mesas a su lugar y se hace la limpieza para volver a utilizar el salón como lugar de trabajo.

Si tienen espacio suficiente, un comedor aparte es más práctico y se requiere menos tiempo y trabajo para prepararlo.

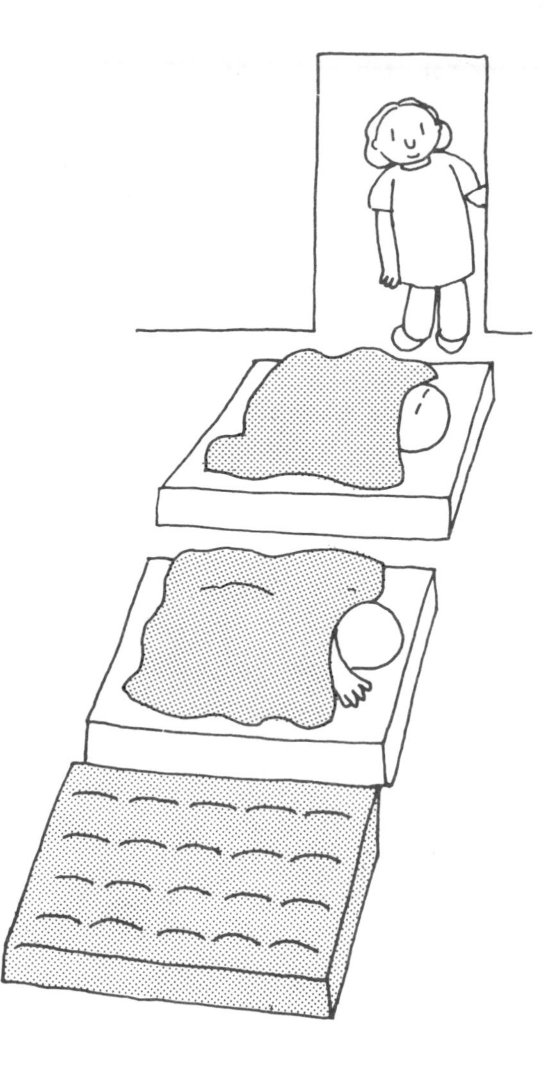

Lugar para dormir

En el lugar para dormir se colocan las colchonetas para el momento en que algún niño desee dormir la siesta. Elijan para esto el rincón más tranquilo y oscuro del salón y, si es posible, sepárenlo con una cortina. Coloquen aquí un estante para guardar la sábana de cada niño.

Si no tienen suficiente espacio dentro del salón, también pueden dormir su siesta en el dormitorio de los niños pequeños, siempre y cuando esté adecuado para que lo usen ambos grupos.

2. CÓMO ES LA RUTINA DE ACTIVIDADES PARA LAS NIÑAS Y LOS NIÑOS PREESCOLARES

La rutina nos indica qué actividades se realizan, qué buscamos con ellas y cómo se llevan a cabo.

A la rutina del salón de preescolar la llamamos Programa Tres Momentos, ya que dividimos el día de trabajo en tres momentos, de igual importancia y duración. Éstos son:

1. El trabajo individual y de equipo.
2. La comida y el juego libre.
3. El trabajo de grupo.

El Programa Tres Momentos nos ayuda a ofrecer al niño oportunidades para lograr un desarrollo integral, al dar el mismo tiempo e importancia a todos los momentos.

El **trabajo individual y de equipo** propician el desarrollo personal. En este momento el niño trabaja solo o en equipo pequeño —de dos o tres—. Tiene la oportunidad de **elegir libremente** el material y la actividad que le **interesa**, respetando su propio **ritmo** de trabajo. Si lo desea, puede repetir el ejercicio cuantas veces lo desee. Es necesario que en este momento el salón se encuentre en un ambiente de silencio relativo, para permitir la concentración en las distintas actividades.

El trabajo individual y de equipo propician el desarrollo personal.

Para este momento la educadora cuenta con un *ambiente preparado*, es decir, con un ambiente que está listo antes de que lleguen los niños y que se encuentra siempre igual o casi igual. La educadora debe estar atenta, *observar* a los niños, sus necesidades e intereses y **mostrar, sólo cuando sea necesario**, el uso de algunos materiales, por ejemplo cómo se usan las tijeras o como se trazan las letras.

La comida y el juego libre son momentos de convivencia y de aprendizaje con otros.

En el trabajo de grupo tienen la oportunidad de escuchar el punto de vista de los demás, de dar su opinión, de aprender de los compañeros y de la educadora.

La comida y el juego libre son momentos de convivencia y de aprendizaje con otros, sobre todo de seguir reglas y de cuidarse a sí mismo y a los demás. Es muy importante que las educadoras procuren que el juego se desarrolle libre y espontáneamente, sin negar su ayuda en los momentos que se requiera. La educadora está *siempre presente*, pero básicamente para observar, para cuidar del orden y para poner los juguetes a su alcance.

También se pueden organizar juegos grupales, como las rondas tradicionales, en donde las educadoras participan con los niños.

Trabajo de grupo. En este momento los niños participan, todos juntos, en las actividades que de antemano planea la educadora. Tienen la oportunidad de escuchar el punto de vista de los demás, de dar su opinión, de aprender de los compañeros y de la educadora. Ayuda a la construcción de la persona social del niño. Si el grupo es muy grande o muy heterogéneo, se puede subdividir en dos grupos más pequeños, de manera que todos puedan participar y la actividad responda al interés de todos los grupos de edad.

LAS ACTIVIDADES DE LA RUTINA DIARIA SON:

1. **Recepción o entrega de niños**
   (Trabajo individual y de equipo)
2. **Saludo o despedida grupal**
   (Trabajo de grupo)
3. **Trabajo en los espacios**
   (Trabajo individual y de equipo)
4. **Juego libre**
   (Comida y juego libre)
5. **Desayuno, refrigerio o comida**
   (Comida y juego libre)
6. **Trabajo sobre temas**
   (Trabajo de grupo)
7. **Cuento**
   (Trabajo de grupo)
8. **Juegos de mesa**
   (Trabajo individual y de equipo)
9. **Arreglo del salón**
   (Trabajo de grupo)
10. **Arreglo personal**
    (Trabajo individual y de equipo)
11. **Siesta**
    (Trabajo individual y de equipo)

1. Recepción o entrega de niños
(Trabajo individual y de equipo)

Recibe a cada una de las niñas y niños personalmente, haciéndoles sentirse seguros y contentos de asistir a la Estancia. No es conveniente platicar en este momento con los padres, ya que te ocupará mucho tiempo y los niños están oyendo su conversación. Si ellos desean platicar, cítalos en algún momento en que no estés con los niños.

En la despedida, hazles sentir que los esperas con gusto al día siguiente. Si lo consideras necesario, puedes comentar con la familia algún aspecto relevante del día, pero cuídate mucho de no dar quejas. También es importante que hables con ellos cuando haya habido algún pequeño accidente, una caída, un golpe, una torcedura, de manera que puedan estar al pendiente de este aspecto el resto del día.

2. Saludo o despedida grupal
(Trabajo de grupo)

Cuando ha llegado la mayoría de los niños se puede iniciar el día con un saludo grupal acompañado de una canción. Después se comenta muy brevemente cómo nos sentimos, si tenemos algo especial para compartir con los demás, como el nacimiento de un hermanito, el cambio de casa, el inicio del nuevo trabajo de los padres, alguna preocupación, etcétera.

3. Trabajo en los espacios. Para este momento el salón se encuentra ya montado y listo en todos sus detalles, ya que contamos con un **ambiente preparado**. Por ello tu papel es el de observar a los niños y estar presente durante el desarrollo de sus actividades, y brindar ayuda cuando te lo soliciten o tú lo juzgues conveniente.

Permite que los niños entren poco a poco al salón, de manera que puedan estar silenciosos y concentrados para que cada uno tenga oportunidad de elegir libremente el material con el que desea trabajar.

Acércate sólo a los niños que necesiten ayuda, pero permite que ellos se acerquen a ti cada vez que quieran comentar, presumir o preguntar sobre su actividad. Cada vez que tengas oportunidad, observa las actitudes de los niños, la manera como se relacionan, las posturas que adoptan en la silla o en el tapete, de manera que vayas contando con más elementos para preparar el ambiente de manera adecuada a las necesidades de tu grupo.

Para que se conserve el orden y el silencio en el salón y se respete el trabajo de cada uno, puedes marcar algunos límites claros y sencillos:

- Trabajar con un solo material a la vez.
- Regresar el material ordenado a su lugar después de usarlo.
- Hablar en voz baja.
- Trabajar solo o en equipos pequeños —de dos o tres niños.
- Cuando un material está ocupado, esperar su turno para usarlo.
- Cuidar el material.
- No interrumpir el trabajo de otro compañero.
- No pisar los tapetes.

En los primeros días de clases es muy importante que a cada uno de los niños le muestres en dónde debe colocar su material cuando termine de usarlo, cómo y dónde guardar el tapete y el protector, en qué lugares puede trabajar, etcétera.

Todos los materiales deben estar completos, en su lugar y al alcance de la mano y de la vista del niño.

Puedes tener un lugar fijo para ti, de manera que si alguien requiere tu ayuda pueda acercarse a ti o a tu lugar.

Los materiales peligrosos, como tijeras, agujas, punzones, etcétera, deben estar en un *lugar de objetos de uso controlado*, de manera que puedas vigilar su uso.

4. Juego libre. En este momento las niñas y los niños juegan libremente en el patio, organizándose entre ellos como mejor les parezca.

Tu papel como educadora es tener listo lo que se pueda necesitar para el juego, como llantas, zancos, pelotas, y estar pendiente de lo que los niños puedan necesitar, interviniendo sólo cuando se requiera o ellos lo soliciten.

Aprovecha este tiempo para observar

cómo se relacionan, qué juegos prefieren, cómo se organizan entre ellos, cuáles son sus dificultades. También puedes enseñarles y jugar con ellos rondas tradicionales de su región y de otros lugares.

5. Desayuno, refrigerio o comida. La comida es un tiempo para alimentarse, para aprender a gustar de una variedad de alimentos sanos y nutritivos, pero también para compartir y convivir.

Antes de la comida es importante que se laven muy bien las manos. Como lo harán todos al mismo tiempo, es conveniente contar con los recipientes y toallas suficientes para que cada uno espere poco para tomar su turno.

Conforme van terminando, pueden formar comisiones para poner la mesa, ya sea que cada uno ponga su lugar o que alguno ponga los manteles para todos, otro ponga los platos, otro los vasos, etcétera. Es bueno que se ponga la mesa como se acostumbra en las casas de la comunidad. Cuando todos se han sentado a la mesa, se puede «dar gracias» o cantar una canción, comentar quién ha preparado la comida del día, subrayando la importancia de estar todos juntos en este momento.

Para que ustedes puedan compartirlo también con los niños y sentarse a la mesa con ellos, es necesario que todo esté muy bien organizado. Se puede designar alguna mesa del salón para colocar siempre allí la comida, de manera que si alguien desea servirse más, tenga la oportunidad de hacerlo por sí mismo.

6. Trabajo sobre temas. Dependiendo del número de niños, para este momento se puede subdividir al grupo en dos y cada uno trabajar con una de las educadoras. Lo más recomendable es que el número de niños no exceda de 18 para este momento.

Una semana antes de realizar el trabajo de grupo, deben planear cuidadosamente las actividades, de acuerdo con el interés y edad de los niños, y fijándose que durante los cinco días realicen actividades correspondientes a todos los espacios de trabajo.

Se puede comenzar con una pequeña plática introductoria explicando a los niños qué planearon para este momento y permitiendo que los que lo deseen den su punto de vista. Igualmente, al terminar, se deben recoger las opiniones y sentimientos de los demás, preguntándoles cómo se sintieron, qué fue lo que más les gustó, qué no les gustó, qué quisieran comentar con su familia, de qué querrían saber más.

Pueden utilizar la *ficha para el trabajo sobre temas* para facilitar la planeación y realización de este trabajo. *Se llena una ficha por día.* (Ver abajo.)

Muchos temas despiertan en los niños grandes inquietudes, dudas y deseos de preguntar y saber más, así que después de este trabajo pueden realizar una pequeña investigación sobre el tema, consultando libros, preguntando a su familia y a otros miembros de la comunidad, asistiendo juntos a alguna visita. El resultado de la investigación pueden escribirlo o dibujarlo y hacer un libro, o simplemente comentarlo con el resto del grupo.

Tu papel es lograr que todos los niños participen; que expresen su propio pensamiento, pero que al hablar respeten el turno de los demás; que se interesen lo suficiente en la actividad como para colaborar con el resto del grupo.

7. Cuento. Para esta actividad también puedes formar dos subgrupos de 15 a 18 niños y que cada uno permanezca con una de las educadoras.

El cuento puede leerse algunas veces y narrarse en otras ocasiones. Al final, se puede desarrollar una actividad relacionada con la lectura, como representar a los personajes, inventar otro final, etcétera.

En la sección de juegos y juguetes que corresponden a la Biblioteca, podrás encontrar algunas sugerencias para estas actividades (páginas 106-107).

FICHA PARA EL TRABAJO SOBRE TEMAS

Educadora: | Fecha: *16 de junio*
Espacio de trabajo: *Biblioteca*
Grupo: *Preescolares* | Duración: *Una hora*

Tiempo	Actividades	Técnicas	Materiales	Evaluación y sugerencias
25′	Pregrafismo «El Sol»	Acción dirigida	• Grabadora • Cassette • Hojas grandes • Gis de color	
15′	Adivinanzas	Acción dirigida	—	
15′	El juego del mudo	Acción dirigida	• Tapete • Objetos del salón	
5′	Cierre	Confrontación	—	

8. Juegos de mesa. Las técnicas para este momento son las mismas que se usan para el trabajo en los espacios. Todos los juegos que se van a utilizar estarán al alcance y a la vista del niño, de manera que pueda elegir libremente aquel que desee utilizar. Tú estarás pendiente de mostrar su uso y enseñarles las reglas de cada uno. Procura que se organicen ellos solos, pero que no haya muchos niños en cada equipo para que no esperen mucho tiempo su turno.

Algunos de los juegos que puedes tener para los preescolares son: serpientes y escaleras, dominó, barajas, juego de la oca, palitos chinos, memoria, lotería, parkasé, perinola, rompecabezas, damas chinas, damas españolas, etcétera.

Cualquiera de éstos ayudan al conteo, a la suma, a la predicción, a la anticipación, al aprendizaje de reglas, etcétera.

9. Arreglo del salón. Los niños se organizan para arreglar y limpiar su ambiente de trabajo. Pueden preparar una lista de actividades por realizar y cada uno elegir en cuál desea participar. Debe haber todo el material necesario para que ellos mismos tomen lo que requieren. Es importante cuidar que no se desperdicie agua, ya que a los niños les encanta mojarse. Al final de la actividad es bueno revisar el salón para que ellos mismos se cercioren que todo quedó limpio y en su lugar.

10. Arreglo personal. En este momento el niño se arregla para salir de la Estancia y regresar a su casa. Es muy importante que cuide su aspecto para sentirse a gusto con su persona, agradable ante él mismo y ante los demás. Los padres notarán en este gesto todo el cuidado que hubo por los niños durante el transcurso de las actividades del día.

Cada niño se lava las manos y la cara, se peina y se pone crema. Pueden ayudarse unos a otros; tú puedes enseñarles cómo peinarse y prestarles sólo la ayuda necesaria. Recuerda que los niños de esta edad son capaces de hacer muchas cosas por sí mismos y disfrutan enormemente saber que son independientes.

11. Siesta. Muchos niños de esta edad requieren todavía una siesta corta. Ésta puede hacerse en algún lugar del salón o en un espacio destinado especialmente para dormitorio. Cuando un niño tiene sueño, puede él mismo preparar su cama tomando una colchoneta y poniendo sobre ella su sábana personal. Si el clima está fresco, puede ponerse encima una cobija ligera. Recuerda estar pendiente de los niños mientras duermen.

No recomendamos establecer una hora fija para dormir, puesto que cada niño tiene sus propias necesidades de sueño. Los que no deseen tomar la siesta pueden seguir participando en otras actividades.

3. CÓMO SE ORGANIZA EL HORARIO PARA LAS NIÑAS Y LOS NIÑOS PREESCOLARES

Al organizar el horario para los niños preescolares, deben tomar en cuenta las necesidades particulares de este grupo, pero también las de las educadoras (sus horarios de trabajo, su disponibilidad o habilidad para realizar las actividades que se requieren, etcétera) y las de los niños de los grupos de pequeños.

Tomen en cuenta que parte de las instalaciones de la Estancia son áreas comunes para todos los grupos y que cada uno tiene derecho a disfrutarlas con seguridad y sin estorbar a los demás.

Mientras los niños del salón de preescolar estén ocupando el patio, ya sea para trabajo de grupo, para juego libre o para trabajo individual, los niños de los salones de pequeños pueden estar realizando juegos dentro del salón.

Traten de que en el horario se puedan coordinar las necesidades de los niños y de las educadoras.

Aquí les presentamos un ejemplo de horario para una estancia que trabaja de las 8:00 a las 18 horas y que puede servir de guía para preparar el suyo.

7:30 —8:00	PREPARACIÓN PERSONAL DE LAS EDUCADORAS Y ARREGLO DEL AMBIENTE
8:00 —8:10	RECEPCIÓN DE NIÑOS
8:00 —8:30	PREPARACIÓN DEL DESAYUNO Y/O JUEGO CON BLOQUES
8:30 —8:45	SALUDO GRUPAL
8:45 —9:45	DESAYUNO
9:45 —11:00	TRABAJO EN LOS ESPACIOS
11:00 —12:15	REFRIGERIO Y JUEGO LIBRE
12:15 —13:30	TRABAJO SOBRE TEMAS
13:30 —14:00	MODELADO
14:00 —15:00	COMIDA
15:00 —15:30	CUENTO
15:30 —16:30	JUEGOS DE MESA
16:30 —17:00	ARREGLO DEL SALÓN
17:00 —17:15	DESPEDIDA GRUPAL
17:15 —17:30	ARREGLO PERSONAL
17:45 —18:00	DESPEDIDA Y ENTREGA DE NIÑOS
18:00 —18:30	ARREGLO DEL AMBIENTE POR LAS EDUCADORAS

4. CÓMO SON LOS JUEGOS Y JUGUETES PARA LAS NIÑAS Y LOS NIÑOS PREESCOLARES

En este apartado te presentamos algunas sugerencias de estímulos que puedes tener en cada uno de los *espacios de trabajo*; quedan a tu elección y creatividad enriquecer y mejorar tu salón de acuerdo con la experiencia que vayas adquiriendo en tu vivencia con los niños y tu gusto por el trabajo.

a. EN LA BIBLIOTECA

Puedes colocar todos aquellos estímulos que le permitan al niño el desarrollo de su lenguaje, tanto oral como gráfico. Hemos dividido estos estímulos en cuatro grupos: *1)* Comunicación. *2)* Análisis de lenguaje oral. *3)* Lectura. *4)* Escritura. Aquí te presentamos algunos estímulos básicos para estos cuatro grupos; tú puedes enriquecer este espacio, inventando o recopilando otros, de acuerdo con las necesidades de los niños.

1. Comunicación

LAVACOCHES

Actividad de grupo.

OBJETIVO: Dar a niños y niñas la oportunidad de comunicar cariño, cuidado y aceptación a los demás por medio del lenguaje corporal.

TÉCNICA: *Acción dirigida.* Los niños hacen dos filas, una frente a la otra. Un niño pasa gateando lentamente entre las dos filas, mientras los niños de ambos lados le dan un masaje suave. El juego termina hasta que todos han pasado o cuando los niños así lo deseen.

Idea obtenida de Paco Cascón y Carlos Martín Beristáin

SIN HABLAR

Actividad de equipo o de grupo.

OBJETIVO: Dar a niñas y niños la oportunidad de comunicarse por medio del lenguaje gráfico.

MATERIALES: Lápices o colores y hojas.

TÉCNICA: *Acción dirigida.* Se sientan en círculo, de manera que todos puedan verse. Se ponen de acuerdo en una palabra, idea o sentimiento que quieran comunicar a los demás, por ejemplo, «estamos contentos», «la sopa está caliente», «hay muchas personas en este grupo». Cada uno piensa de qué forma puede representar esta idea para que los demás la entiendan. Toma el lápiz y el papel y la escribe usando palabras o dibujos. Cuando todos han terminado, comparan sus representaciones y las comentan.

VARIACIONES: Más adelante, cada uno piensa en una idea, sentimiento o palabra y la comunica de la misma manera a los demás miembros del grupo. Los compañeros interpretan la representación, reflexionando al final sobre la eficiencia de esta forma de comunicación.

Creación: Lourdes Garza Caligaris

2. Análisis de lenguaje oral

YO VEO

Actividad de grupo.

OBJETIVO: Dar a niños y niñas la oportunidad de identificar las sílabas iniciales de las palabras.

MATERIALES: Objetos del salón, un tapete grande.

TÉCNICA: *Acción dirigida.* Se sientan todos alrededor del tapete y en el centro se colocan de 10 a 12 objetos distintos, como un lápiz, un libro, una argolla, una aguja, un palo, un periódico, unas tijeras, un títere, una ficha. Al tiempo que se van colocando, los niños dicen el nombre de cada objeto para comprobar que todos lo designan con la misma palabra. La educadora empieza el juego diciendo «veo, veo un objeto cuyo nombre empieza con 'li'». Los niños buscan entre los objetos y adivinan de cuál se trata. También puede nombrarse la ventana, la puerta, el piso, o la cortina del salón. El juego se repite hasta que se han dicho los nombres de todos los objetos.

VARIACIONES: También se puede hacer con el sonido inicial, por ejemplo, en el caso de libro, sería «l»; más adelante se puede hacer con la sílaba final, «bro».

Idea obtenida de Sistema Montessori

LAS ADIVINANZAS

Actividad de grupo.

OBJETIVO: Brindar a niños y niñas la oportunidad de identificar los sonidos iniciales y finales de las palabras.

TÉCNICA: *Acción dirigida.* Se sientan todos juntos en círculo. La educadora dice una adivinanza, como: «Adivina, adivinador, ¿cuál es el objeto que empieza con 'ban', termina con 'co' y sirve para sentarse?» Cuando los niños adivinan, se hace énfasis nuevamente en el sonido, banco empieza con *ban* y termina con *co*. Se dicen más adivinanzas hasta que los niños quieran.

VARIACIONES: Los niños pueden inventar otras adivinanzas y decirlas al grupo.

Idea obtenida de SEP

DIME UNA PALABRA PARECIDA

Actividad de grupo.

OBJETIVO: Dar a niñas y niños la oportunidad de comparar y encontrar similitudes entre palabras, ya sea por su sonido o por el objeto que representan.

TÉCNICA: *Acción dirigida.* La educadora dice, por ejemplo, «Díganme una palabra parecida a *silla*». Cuando los niños contestan dicen también en qué aspecto encuentran la semejanza.

Idea obtenida de SEP

LÁMINAS DE LECTURA

Actividad individual, de equipo o de grupo.

OBJETIVO: Dar a niñas y niños la oportunidad de leer y recordar textos breves.

MATERIALES: Libro de versos, rimas, adivinanzas o refranes, 5 a 10 ilustraciones, cartoncillo de color claro, mica transparente, equipo de trabajo general.

ELABORACIÓN: Se eligen las ilustraciones de acuerdo con los textos. Se corta el cartoncillo tamaño carta o más grande, si así se requiere; se pega la ilustración, se marcan los renglones y se escribe el texto. El cartoncillo se protege con la mica transparente y se fija a la pared.

TÉCNICA: *Acción libre*. Los niños leen los textos cuando así lo desean.

NOTA: Es conveniente cambiar estas láminas cada 15 días.

Idea obtenida de Sistema Montessori

TARJETAS DE LECTURA

Actividad individual o de equipo.

OBJETIVO: Dar a niños y niñas la oportunidad de leer y comparar palabras.

MATERIALES: Seis tarjetas blancas, de aproximadamente 10 x 12 cm, cinco ilustraciones pequeñas de objetos, animales o personas, una hoja de papel de cuadro grande, cartón grueso, una charola mediana, equipo de trabajo general y de pintura.

ELABORACIÓN: Se pegan las ilustraciones sobre las tarjetas y en la parte inferior se marcan dos rectángulos de 2 x 8 cm aproximadamente. Sobre el papel cuadriculado se marcan cuatro renglones y se escriben dos letreros con el nombre que corresponde a cada ilustración. Uno de los letreros se pega en uno de los rectángulos de la tarjeta y el otro sobre el cartón grueso. Se recortan y enmican los letreros y las tarjetas. Se decora la charola. Se colocan las tarjetas y los letreros sobre la charola.

TÉCNICA: *Presentación*. Se acomodan las tarjetas sobre el tapete, al tiempo que se va preguntando al niño qué ve en cada ilustración; y señalando el letrero de la tarjeta, se le pregunta: «¿qué crees que dice aquí?». Se acomodan los letreros sobre el tapete. Leen cada tarjeta y buscan el letrero que le corresponde, colocándolo en el rectángulo inferior.

VARIACIONES: Más adelante se pueden elaborar otras tarjetas con ilustración pero sin letrero. El niño aparea la ilustración con el letrero correspondiente. También puedes tener una ilustración grande y letreros con el nombre de algunos objetos. El niño coloca cada letrero en el espacio que le corresponde.

Idea obtenida de Sistema Montessori

MI NOMBRE ESCRITO

Actividad de grupo.

OBJETIVO: Dar a niños y niñas la oportunidad de visualizar la escritura de su nombre y la de sus compañeros.

MATERIALES: Tarjetas blancas de aproximadamente 8 x 20 cm.

ELABORACIÓN: En cada tarjeta se marcan cuatro renglones y se escribe el nombre de cada uno de los niños del salón.

TÉCNICA: *Presentación*. La educadora se dirige a cada niño mostrándole y entregándole su nombre escrito: «Tú te llamas Luz, aquí dice Luz; mira bien tu nombre escrito». Después de un momento, se invita a cada niño a elegir un lugar del salón para colocar su nombre. Allí quedará durante el resto del año escolar, quedando así expuestas todas las letras en todas las posibles combinaciones silábicas.

VARIACIONES: Con otro juego idéntico de tarjetas se pueden revolver todos los nombres y pedir a cada niño que busque el suyo.

Más adelante, podrán leer también el nombre de cada uno de sus compañeros y entregarle la tarjeta que le corresponda.

Para iniciarse en la lectura del sonido de cada letra, se puede jugar *lotería*, usando como base las tarjetas de los nombres. Se muestra la letra «a», al tiempo que se dice el sonido y cada niño pone una semilla sobre esa letra tantas veces como aparezca en su tarjeta. Se continúa igual con el resto de las letras del abecedario.

Idea obtenida de Irena Majzchrack

LIBROS DE LECTURA

Actividad individual, de equipo o de grupo.

OBJETIVO: Dar a niños y niñas la oportunidad de anticipar el contenido de los libros y gozar la lectura.

MATERIALES: Libros adecuados a la edad e intereses de los niños, de temas variados, con o sin ilustraciones, y con textos de extensión corta y mediana.

TÉCNICA: *Sugerencia*. Los niños leen libremente el contenido del libro.

VARIACIONES DE LA TÉCNICA: Cuando vas a leer un libro a todo el grupo, muéstralo de frente para que todos vean las ilustraciones y ve siguiendo la lectura con el dedo índice, de manera que los niños vean cuál es la dirección en la cual se lee. Al terminar, haz algunas preguntas para que entre todos puedan reconstruir nuevamente la historia. Pueden también hacer algunas reflexiones sobre el contenido, los personajes, los lugares, etcétera.

VARIACIONES DEL MATERIAL: También puedes hacer libros que contengan cuentos o narraciones ilustrados con recortes o con dibujos hechos por ti o por los niños. Puedes enriquecer la biblioteca con otro tipo de portadores de textos, como revistas, periódicos, folletos.

AQUÍ ESTOY

Actividad de grupo.

OBJETIVO: Los niños y las niñas eligen a uno de los personajes del libro y lo representan por medio del dibujo.

MATERIALES

- Un libro con un cuento corto donde aparezcan varios personajes. Es conveniente que el libro tenga ilustraciones.
- Cartoncillo o cartulina blanca tamaño media carta.
- Lápices de colores.
- Protectores individuales de plástico o fibracel.
- Cinta adhesiva.

TÉCNICA

- Se lee el libro, mostrando o no las ilustraciones, según lo decida la educadora.
- Se hace una plática breve con los niños acerca del contenido del libro. Se les puede preguntar quiénes eran los personajes, qué hacían, qué fue lo que más les gustó, qué pasó en el cuento, etcétera.
- Cada niño escoge uno de los personajes y lo dibuja, como él desee, sobre el cartoncillo. Cuando termina, pega un palito de madera por el revés de su dibujo.
- Cuando todos han terminado, se vuelve a leer el libro. Cada vez que se nombra un personaje, el niño que lo tiene levanta su dibujo y dice en voz alta: "Aquí estoy".

VARIACIONES DEL MATERIAL

También se pueden representar los personajes de otras maneras, por ejemplo modelándolos con masa o plastilina. Más adelante, para esta técnica, se pueden leer libros que no tengan ilustraciones, de manera que los niños imaginen a los personajes.

Idea obtenida de Monserrat Sartó

UNA LECTURA EQUIVOCADA

Actividad de grupo.

OBJETIVO: Las niñas y los niños reconocen los errores en la lectura de un libro que ya conocen.

MATERIAL

- Un libro con un cuento corto.

TÉCNICA

- Se lee el libro, mostrando o no las ilustraciones, según lo decida la educadora.
- Se hace una plática breve con los niños acerca del contenido del libro. Se les puede preguntar qué pasó en el cuento. Las preguntas se pueden dirigir a que recuerden la secuencia de los acontecimientos, quiénes eran los personajes, qué hacían, etcétera.
- Se vuelve a leer el libro, diciéndoles a los niños: "No sé porqué, pero a veces cuando leo un libro me equivoco y confundo las palabras. Ustedes se van a fijar muy bien en lo que digo. Si notan que me equivoco, van a decir en voz alta: "¡Te equivocaste!"

Idea obtenida de Monserrat Sartó

QUIÉN ESTÁ ESCONDIDO

Actividad de grupo.

OBJETIVO: Las niñas y los niños identifican y recuerdan a los personajes de un libro.

MATERIALES

- Un libro con un cuento corto donde aparezcan varios personajes. Es conveniente que el libro tenga ilustraciones.
- Cartoncillo tamaño media carta con los dibujos de los personajes.

TÉCNICA

- Se lee el libro, mostrando las ilustraciones.
- Se hace una plática breve con los niños acerca del contenido del libro, poniendo énfasis en que recuerden a todos los personajes que aparecen en la historia. Conforme se nombran se van colocando las ilustraciones a la vista.
- Se elige a uno de los niños para que salga del salón y adivine cuál de los personajes está escondido.
- Mientras, otro niño del grupo esconde a *uno* de los personajes, volteando el dibujo al revés o poniéndolo debajo del libro.
- Si el niño que salió no adivina cuál personaje está escondido, los demás le pueden dar pistas: «es el más viejo», «tiene las orejas largas», etcétera.

VARIACIONES DE LA TÉCNICA

También se puede jugar a esconder y encontrar al personaje en diferentes lugares del salón.

VARIACIONES DEL MATERIAL

En algunas ocasiones los niños pueden hacer los dibujos que luego se esconderán; en otras, la educadora los puede llevar ya preparados. Más adelante se puede hacer esta técnica utilizando los letreros con los nombres de los personajes escritos en lugar de dibujos (a partir de los cuatro años de edad, incluso con aquellos que aún no leen y escriben).

Idea obtenida de Martha Sastrías de Porcel

LA LOTERÍA

Actividad de grupo.

OBJETIVO: Los niños y las niñas preparan sus tableros y juegan a la lotería a partir de la lectura de un libro.

MATERIALES

- Un libro con un cuento corto, puede o no tener ilustraciones.
- Papel blanco tamaño carta, dividido en seis secciones.
- Lápices y colores.
- Protectores individuales de plástico o fibracel.
- Semillas.
- Varios recipientes para colocar las semillas.

TÉCNICA

- Se lee el libro, mostrando o no las ilustraciones, según lo decida la educadora.
- Se hace una plática breve con los niños acerca del contenido del libro, poniendo énfasis en que recuerden a todos los personajes y las situaciones que aparecen en la historia.
- Se invita a los niños a que preparen sus tableros para jugar a la lotería, poniendo en cada sección una situación o un personaje del cuento.
- Se anima a los niños a preparar sus tableros combinando dibujos y escritura o utilizando únicamente dibujos.
- Se vuelve a leer el cuento. Conforme aparecen los personajes y las situaciones, los niños van colocando una semilla en el dibujo respectivo de su tablero.
- Cuando el tablero está lleno, pueden gritar «¡lotería!».

Idea obtenida de Martha Sastrías de Porcel

ESCRITURA LIBRE

Actividad individual, de equipo o de grupo.

OBJETIVO: Dar a niños y niñas la oportunidad de realizar sus propias producciones escritas, de acuerdo con su momento de desarrollo.

MATERIALES: Papel y lápiz; gis y pizarrón.

TÉCNICA: *Sugerencia*. Los niños escriben libremente cuando lo desean.

Variaciones: Se puede *sugerir* a los niños que escriban su nombre en los dibujos que realizan, o que escriban la lista de lo que desean llevar a la Estancia para alguna festividad, o algún recado para los padres.

PREGRAFISMO

Actividad individual, de equipo o de grupo.

OBJETIVO: Dar a niños y niñas la oportunidad de practicar los trazos que los preparan para la escritura de las letras y los números.

MATERIALES:

- Libro-cassette *Cantos, niños y rayones*.*
- Grabadora.

TÉCNICA: *Acción dirigida*. Conforme lo indica la canción, los niños van haciendo los trazos en el aire. La educadora está atenta para cuidar la dirección del trazo sobre el eje medio del cuerpo; si es necesario, corrige.

VARIACIONES: Después se pueden hacer los trazos sobre la pared o sobre arena. Más adelante se hacen sobre papel grande con crayones, con pintura y pincel, con lápiz. Poco a poco se hacen en papel más chico y se va restringiendo el tamaño del trazo marcando renglones.

NOTA: Se recomienda grabar varias veces la misma canción.

Creación SEIP

* Educación Integral Popular, AC, *Cantos, niños y rayones / Desde el aire hasta el papel*, México, 1987. Es un libro-cassette que acompaña con cantos los movimientos necesarios para lograr los trazos básicos de la escritura. También se pueden conseguir otros materiales similares en las librerías.

LETRAS DE LIJA
Actividad individual.

OBJETIVO: Dar a niños y niñas la oportunidad de conocer y practicar el trazo de las letras.

MATERIALES: Cartón grueso, papel de lija suave, un recipiente mediano, equipo de trabajo general y de pintura.

ELABORACIÓN: Se corta el cartón en tarjetas de 12 x 20 cm aproximadamente. Se dibujan los cuatro renglones. Se trazan todas las letras del alfabeto sobre el reverso del papel de lija, como si se vieran en un espejo. Se recorta y pega cada letra en una tarjeta. Se marca una flecha para indicar dónde comienza y cuál es la dirección del trazo.

TÉCNICA: *Presentación.* El niño elige dos letras, pueden ser las iniciales de su nombre ó cualquier otra *que él desee conocer*. Se muestra el trazo de una de ellas pasando los dedos medio e índice en la dirección del trazo y diciendo el sonido de la letra, por ejemplo «e». Se invita al niño a realizar el trazo y repetir el nombre. Se hace lo mismo con la otra letra. Al final, se hace el *Juego del nombre* (ver «Técnicas educativas», p. 23).

VARIACIONES: Después puede trazar la letra sobre una charola con arena. También puedes hacer otro juego de tarjetas con los numerales del 0 al 9.

Idea obtenida de Sistema Montessori

b. EN EL TALLER DE ARTE

En este lugar puedes colocar los estímulos que ayudan a los niños a expresar libremente sus emociones.

Aquí se encuentra todo lo relacionado con el área de expresión artística. El arte es una expresión personal y por lo tanto las técnicas consisten únicamente en mostrar el uso correcto de los instrumentos, sin decirle al niño qué hacer. Por ejemplo, le puedes mostrar cómo tomar el pincel, cómo mojarlo para diluir el color de la acuarela, cómo doblar el papel para hacer el picado, etcétera.

Hemos dividido los estímulos en nueve grupos: *1)* composición, *2)* dibujo y pintura, *3)* construcción, *4)* modelado, *5)* artesanía, *6)* música, *7)* danza, *8)* teatro y *9)* literatura. De cada grupo aparecen aquí uno o dos ejemplos; a partir de ellos puedes idear más para tener un salón muy rico, que dé a los niños las mayores posibilidades de expresarse con distintos medios.

COMPOSICIÓN CON FIGURAS COMPLETAS

Actividad individual.

OBJETIVO: Dar al niño o niña la oportunidad de experimentar las posibilidades de composición sobre un plano.

MATERIALES: Papel lustre rojo, azul y amarillo; hojas blancas de tamaño media carta, una charola chica, equipo de trabajo general y de pintura.

ELABORACIÓN: Se corta un triángulo, un cuadrado y un círculo de papel lustre de colores; se decora la charola y se colocan sobre ella las figuras de colores. El papel se coloca en el lugar de «la papelería».

TÉCNICA: *Acción dirigida*. El niño coloca las figuras sobre la hoja blanca, probando diferentes posibilidades para hacer una composición.

VARIACIONES: Se pueden incluir figuras de material transparente en colores primarios, de manera que al sobreponerlas encuentre nuevos colores. También pueden pegarse las figuras sobre la hoja blanca.

Idea obtenida de Rotger Klaute

COMPOSICIÓN CON FIGURAS CORTADAS

Actividad individual.

OBJETIVO: Dar al niño o niña la oportunidad de hacer una composición sobre un plano, con una figura distinta a la inicial.

MATERIALES: Cartoncillo negro, hojas blancas de tamaño media carta, tijeras sin punta, una brocha pequeña, pegamento, una charola mediana, un recipiente pequeño, equipo de trabajo general y de pintura.

ELABORACIÓN: Se cortan, por pares, triángulos, cuadrados y círculos de cartoncillo negro, de aproximadamente 5 cm. Se decoran el recipiente y la charola. Se colocan el recipiente vacío, la brocha y las figuras sobre la charola. El papel se coloca en el lugar de «la papelería» y las tijeras en el lugar de objetos de uso controlado.

TÉCNICA: *Acción dirigida*. El niño elige un par de figuras. Pega una de ellas en algún lugar del papel. Toma la otra figura y le hace dos cortes rectos donde lo desea. Coloca las figuras cortadas sobre el papel y busca hacer un diseño. Pega su composición.

VARIACIONES: Más adelante puede trabajar con varias figuras al mismo tiempo.

Idea obtenida de Rotger Klaute

GISES

Actividad individual y de equipo.

OBJETIVO: Dar a niños y niñas la oportunidad de expresarse a través del dibujo, con un material suave en espacios grandes.

MATERIALES: Una tabla de madera de aproximadamente 80 x 90 cm, pintura para pizarrón, gis blanco, un borrador, un recipiente mediano, equipo de pintura.

ELABORACIÓN: Se pinta la tabla con dos o tres capas de pintura para pizarrón. Se decora el recipiente. Se colocan el gis y el borrador dentro del recipiente.

TÉCNICA: *Sugerencia.* Se invita al niño a realizar esta actividad.

VARIACIONES: Se pueden utilizar gises de colores. También se puede dibujar sobre cartoncillo negro con gises de colores humedecidos. Puedes tener otros materiales suaves para dibujo, como crayones de colores, carboncillo o pasteles.

Idea obtenida de jardín de niños

IMÁGENES CORRIDAS

Actividad individual.

OBJETIVO: Dar al niño o niña la oportunidad de realizar una pintura sin utilizar instrumentos.

MATERIALES: Un gotero, pintura diluida de color primario, papel grueso tamaño media carta, un recipiente pequeño, una charola mediana, una toalla pequeña, equipo de trabajo de pintura.

ELABORACIÓN: Se decoran la charola y el recipiente. Se pone la pintura en el recipiente y éste con el gotero sobre la charola. Se coloca el papel en el lugar de «la papelería».

TÉCNICA: *Acción dirigida.* El niño lleva el material y un protector al lugar donde va a trabajar. Pone una gota de pintura diluida sobre la hoja. Levanta el papel y lo mueve para que la gota, al escurrir, forme figuras.

VARIACIONES: Más adelante se pueden utilizar varios colores a la vez.

Idea obtenida de X. Kampmann

ACUARELA

Actividad individual.

OBJETIVO: Dar al niño o niña la oportunidad de expresarse a través de la pintura con un material suave y utilizando un instrumento.

MATERIALES: Una pastilla de acuarela de color primario, un pincel, papel blanco grueso tamaño media carta, una toalla pequeña de 10 x 10 cm, un recipiente pequeño, una charola mediana, equipo de trabajo de pintura.

ELABORACIÓN: Se decoran la charola y el recipiente. Se colocan el recipiente, el pincel, la pastilla de acuarela y la toalla sobre la charola. El papel se coloca en el lugar de «la papelería».

TÉCNICA: *Presentación*. El niño lleva el material y un protector al lugar donde va a trabajar. El educador moja el pincel con agua y le pone pintura. Traza una líneas amplias tocando suavemente el papel. Vuelve a mojar el pincel quitándole la pintura y lo limpia con la toalla. Invita al niño a realizar una pintura con la «forma» que le ha mostrado.

VARIACIONES: Más adelante puede combinar varios colores a la vez. También se puede pintar con pincel con otro tipo de pinturas, como témpera. Con este tipo de material se pueden hacer murales en los que participe todo el grupo.

Idea obtenida de jardín de niños

DEDOS

Actividad individual.

OBJETIVO: Dar al niño la oportunidad de expresarse creando sus propios diseños al imprimir sin instrumentos.

MATERIALES: Pintura témpera de color primario, papel blanco tamaño media carta, una toalla mediana, un recipiente mediano transparente con tapa, una charola mediana, equipo de trabajo de pintura.

ELABORACIÓN: Se decoran el recipiente y la charola. Se colocan sobre la charola el recipiente tapado con pintura y la toalla. El papel se coloca en el lugar de «la papelería».

TÉCNICA: *Acción dirigida*. El niño lleva el material y un protector al lugar donde va a trabajar. Abre el recipiente, mete un dedo en la pintura e imprime su huella presionando sobre el papel. Crea de esta forma el diseño que desee. Al final se limpia el dedo con la toalla.

VARIACIONES: Más adelante puede usar varios colores, empleando un dedo para cada color. También puede imprimir la huella de su mano o utilizar sellos hechos de frutas o verduras.

Idea obtenida de María Eliana Montaner

3. Construcción

BLOQUES

Actividad individual o de equipo.

OBJETIVO: Dar a niños y niñas la oportunidad de expresarse construyendo estructuras con volumen.

MATERIALES: Trozos de madera de distintas formas y tamaños, un recipiente grande, equipo de trabajo de carpintería y pintura.

ELABORACIÓN: Se lijan y barnizan los pedazos de madera. Se decora el recipiente y se coloca dentro la madera.

TÉCNICA: *Sugerencia*. Se invita a los niños a realizar la actividad.

VARIACIONES: También se pueden usar cajas de distintos tamaños abiertas o cerradas. Se pueden tener otros materiales de construcción más pequeños, como palitos de paleta, tapas de envases, o incluso semillas, conchas o piedras pequeñas que se pueden pegar con pegamento especial para plásticos.

Idea obtenida de jardín de niños

4. Modelado

PLASTILINA

Actividad individual o de equipo.

OBJETIVO: Dar a niños y niñas la oportunidad de expresarse modelando objetos de tres dimensiones.

MATERIALES: Plastilina, un recipiente mediano, equipo de trabajo de pintura.

ELABORACIÓN: Se decora el recipiente. Se coloca la plastilina dentro del recipiente.

TÉCNICA: *Acción dirigida*. El niño lleva el material y un protector al lugar donde va a trabajar. El niño amasa la plastilina para ablandarla. Forma las figuras que desea.

VARIACIONES: Se pueden usar herramientas como estiques o rodillos.

También se puede modelar utilizando barro o masa preparada con harina de trigo, sal, un poco de aceite y color vegetal.

Idea obtenida de jardín de niños

5. Artesanía

PIÑATA

Actividad de grupo.

OBJETIVO: Dar a niños y niñas la oportunidad de expresarse colectivamente preparando una fiesta tradicional.

MATERIALES: Una olla de barro, papel de china de colores, periódico, cartoncillo, engrudo, un recipiente mediano, una charola grande, tijeras sin punta, equipo de trabajo de pintura.

ELABORACIÓN: Se decora la charola. Se ponen todos los materiales sobre la charola. Las tijeras y el pegamento se colocan en el lugar de los objetos de uso controlado.

TÉCNICA: *Acción dirigida.* Los niños rasgan el periódico en pedazos pequeños. Cubren la olla con dos o tres capas de periódico y engrudo. Forman cuatro o cinco conos con el cartoncillo, les hacen unos cortes en la base y los pegan con periódico y engrudo a la olla. Cortan tiras de papel de china y les hacen «flecos». Pegan el papel a la olla y conos.

Actividad tradicional

PAPEL PICADO

Actividad individual.

OBJETIVO: Dar a niños y niñas la oportunidad de crear manteles tradicionales de papel con sus propios diseños.

MATERIALES: Papel de china de colores, unas tijeras sin punta, una charola mediana, equipo de trabajo general y de pintura.

ELABORACIÓN: Se corta el papel en pedazos de 15 x 20 cm aproximadamente. Se decora la charola. Se coloca el papel en la charola y las tijeras en el lugar para objetos de uso controlado.

TÉCNICA: *Acción dirigida.* El niño toma el papel y lo dobla en dos o tres partes. Corta con las tijeras en las esquinas y en medio. Desdobla y ve su diseño. Si quiere, puede volver a doblar y hacer más cortes.

VARIACIONES: Se pueden usar papeles de distintos tamaños. También se puede doblar el papel en cuatro y después hacer otros dos dobleces esquinados, de manera que se obtenga un mantel redondo.

Actividad tradicional

6. Música

EJERCICIO DE SILENCIO

Actividad de grupo.

OBJETIVO: Dar a niñas y niños la oportunidad de aprender a estar en silencio para escuchar música.

TÉCNICA: *Acción dirigida*. Todos los niños están sentados en silencio, cierran los ojos y escuchan, durante uno o dos minutos, los ruidos del entorno. Después cada uno dice, por turnos y en voz baja, lo que escuchó mientras estuvo en silencio.

Idea obtenida de Maricarmen Álvarez

ESCUCHAR UNA CANCIÓN

Actividad de grupo.

OBJETIVO: Dar a niños y niñas la oportunidad de aprender a escuchar música.

TÉCNICA: *Acción dirigida*. Los niños escuchan una canción y levantan la mano cada vez que escuchan una palabra determinada.

Idea obtenida de Maricarmen Álvarez

CANTAR UNA CANCIÓN

Actividad individual, de equipo o de grupo.

OBJETIVO: Dar a niñas y niños la oportunidad de aprender y cantar canciones.

MATERIALES: Cancionero hecho por la educadora. Es conveniente tener anotadas y bien aprendidas al menos 25 canciones sencillas, que pueden clasificarse en: tradicionales, arrullos, navideñas, de vida diaria, didácticas, divertidas, etcétera.

TÉCNICA: *Acción dirigida*. Los niños escuchan la canción completa cantada por la educadora. Después la cantan todos juntos. Si es larga, pueden aprenderla en varios días.

VARIACIONES: Se puede acompañar la canción con palmadas o con algún instrumento de percusión que se toca en momentos predeterminados. También se puede cantar suave o fuerte, rápido o lento, agudo o grave.

Idea obtenida de Maricarmen Álvarez

ESCUCHAR MÚSICA

Actividad individual, de equipo o de grupo.

OBJETIVO: Dar a niñas y niños la oportunidad de disfrutar de la música de buena calidad.

MATERIALES: Grabadora y cassette.

TÉCNICA: *Acción dirigida*. Todos se colocan en una posición cómoda, ya sea sentados o acostados. Escuchan un trozo de música —no más de cinco minutos— previamente elegido por la educadora. Al terminar, los que así lo deseen pueden compartir sus sentimientos.

Idea obtenida de Maricarmen Álvarez

DESCUBRIR SONIDOS DEL PROPIO CUERPO

Actividad de grupo.

OBJETIVO: Dar a niñas y niños la oportunidad de descubrir todas las partes del cuerpo que puedan producir sonidos.

TÉCNICA: *Acción dirigida*. Los niños buscan, por turnos, o todos a la vez, sonidos con las partes de su cuerpo. Pueden ser con las mejillas, con la voz, silbidos, entrada y salida de aire, con las manos, con los dedos, con las piernas, pies, muslos.

VARIACIONES: Se puede cantar una canción y acompañarla, en algunos lugares, con los sonidos descubiertos por los niños.

Idea obtenida de Maricarmen Álvarez

INVENTANDO MÚSICA

Actividad de equipo o de grupo.

OBJETIVO: Dar a niños y niñas la oportunidad de jugar con melodías e inventar las suyas propias.

TÉCNICA: *Acción dirigida*. Los niños y la educadora se comunican cantando. Por ejemplo, la educadora puede preguntar, cantando: «¿Cómo te llamas tú?» y el niño responde, también cantando, «Me llamo José». El resto del grupo puede repetir, como eco, la última palabra.

VARIACIONES: Se puede hacer preguntas más complejas, como: «¿qué hiciste hoy?» o «¿dónde estuviste el fin de semana?»

Idea obtenida de Maricarmen Álvarez

7. Danza

BAILAR CON LISTONES

Actividad de grupo.

OBJETIVO: Dar a niños la oportunidad de expresarse por medio del baile.

MATERIALES: Palos redondos de 15 cm de largo, uno para cada niño del grupo; listón ancho de varios colores, un metro para cada niño del grupo; un recipiente mediano, grabadora y cassettes con música diversa; equipo de trabajo general y de pintura.

ELABORACIÓN: Se corta el listón en pedazos de un metro. Se pega cada pedazo en un palito y se enrolla. Se decora el recipiente y se colocan dentro todos los palitos.

TÉCNICA: *Acción dirigida*. Cada niño toma un palito y desenrolla el listón, haciéndolo bailar al ritmo de la música. La educadora los anima para que se muevan por todo el salón.

VARIACIONES: También pueden hacer bailar una prenda de vestir, como su suéter, su zapato, etcétera. Pueden bailar libremente por todo el salón o por parejas.

NOTA: Cuida que haya variedad al elegir la música, prefiere aquella que no tenga letra, de manera que los niños centren su atención en el ritmo y la melodía.

Actividad tradicional

8. Teatro

CUANTAS CARAS

Actividad individual o de equipo.

OBJETIVO: Dar a niños y niñas la oportunidad de verse, conocerse y moverse libremente delante del espejo para que puedan expresarse por medio de su cuerpo.

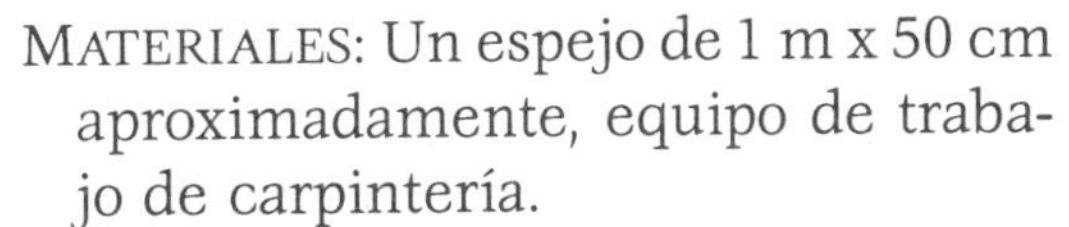

MATERIALES: Un espejo de 1 m x 50 cm aproximadamente, equipo de trabajo de carpintería.

ELABORACIÓN: Se coloca el espejo firmemente sobre la pared, a la altura del niño, en un lugar del salón poco transitado.

TÉCNICA: *Sugerencia*. Se invita al niño a realizar esta actividad.

VARIACIONES: Se pueden poner también distintos tipos de ropa, zapatos y adornos para que los niños jueguen a representar personajes frente al espejo.

Actividad tradicional

PUESTA EN ESCENA

Actividad de grupo.

OBJETIVO: Dar a niñas y niños la oportunidad de representar obras de teatro, aprendidas o inventadas por ellos mismos, frente a otras personas.

MATERIALES: Guión, ropa para disfrazarse, cartón, pintura y pinceles para la escenografía, música para la ambientación.

TÉCNICA: *Acción dirigida*. Después de leer la obra o inventarla, los niños eligen al personaje que quieren representar. Cada uno se aprende su par-

te y crea su disfraz. Pueden actuar todos o dividir el trabajo y mientras unos actúan otros pintan la escenografía. La obra se puede representar frente a las familias de los niños.

Actividad tradicional

9. Literatura

POESÍA

Actividad de grupo.

OBJETIVO: Dar a niños y niñas la oportunidad de gozar y aprender de memoria poemas sencillos.

MATERIALES: Un libro de poesía (ver bibliografía sugerida, p.163).

TÉCNICA: Se lee el poema a los niños una vez y se comenta en grupo, preguntándoles: «¿qué les pareció el poema?», «¿qué fue lo que más les gustó?». Después se les invita a reconstruir la secuencia. Se puede volver a leer ese mismo día o en otra ocasión e invitarlos a repetirlo de memoria.

VARIACIONES: Se pueden leer y aprender rimas de acuerdo con las festividades que se van a preparar en la Estancia. A partir de la lectura de una rima, refrán o poesía, ellos pueden inventar la suya.

c. EN CASA Y COMUNIDAD

En este espacio las niñas y los niños tienen muchas oportunidades para realizar el *juego simbólico*; es decir, representar las personas y las situaciones de su entorno: los papás, los hermanos, los padrinos, la maestra, el médico, la señora de la tienda, etcétera. Incluimos aquí todos los estímulos relacionados con las áreas de coordinación fina, socialización, ecología y salud; todo aquello que el niño aprende en casa o en su comunidad. Los estímulos de la casita los hemos dividido en: *1)* juego simbólico, *2)* coordinación fina, *3)* coordinación gruesa y equilibrio, *4)* cuidado del ambiente y *5)* autocuidado.

JUGANDO A LA MAMÁ Y AL PAPÁ

Actividad individual o de equipo.

OBJETIVO: Dar a niños y niñas la oportunidad de jugar a representar personas y situaciones de su vida cotidiana.

MATERIALES: Muñeco de trapo, diversos tipos de ropa para el muñeco, trastecitos, bolsa de mandado, prendas de vestir para los niños, espejo de cuerpo completo, peine, crema, una cama pequeña o cuna, escoba, recogedor, trapeador, sacudidor.

ELABORACIÓN: Acomoda todos los objetos como lo harías en una casa, procurando que todo quede a la vista, a la mano y en orden. Puedes hacer una cama pequeña con dos huacales amarrados. Ponles una colchoneta y ropa de cama.

TÉCNICA: *Sugerencia*. Se invita a los niños a realizar la actividad libremente.

Juego tradicional

LA TIENDITA

Actividad de equipo.

OBJETIVO: Dar a niños y niñas la oportunidad de jugar a *comprar y vender*.

MATERIALES: Una caja grande, huacales o estantes, una mesa, cajas, latas, bolsas y envases vacíos de objetos de uso cotidiano, bolsa de mandado, monedero con monedas de un peso, papel y lápiz.

ELABORACIÓN: Se rellenan las cajas con periódico y se cierran bien. Se tapan las latas con círculos de cartón grueso. Se colocan todos los envases, cajas, latas y bolsas dentro de la caja grande. Se cuelgan la bolsa y el monedero. Se acomodan el lápiz y el papel sobre la mesa.

TÉCNICA: *Acción dirigida*. Los niños acomodan los productos en los estantes o huacales, clasificándolos de acuerdo con sus propios criterios. Deciden quién será el *comprador* y quién el *vendedor*. Juegan a comprar y vender.

VARIACIONES: El comprador puede escribir la lista de lo que va a comprar y luego leerla al vendedor.

También pueden escribir los precios de los productos, luego pagar esa cantidad con las monedas de un peso. El total se puede escribir en un papel.

Se puede tener una cinta métrica y medir listones o estambres para venderlos por metro.

Se pueden llenar envases vacíos con semillas, piedras, arena, retazos de hilo, etcétera, y luego etiquetarlos.

OTROS EJERCICIOS: También se puede jugar a representar otros oficios, comercios o instituciones como la reparadora de calzado, el hospital, el banco, la escuela, etcétera.

Juego tradicional

2. Coordinación fina

SÓLIDOS PARA CUCHAREAR

Actividad individual.

OBJETIVO: Dar al niño o niña la oportunidad de desarrollar la coordinación fina adquiriendo habilidad en el uso de la cuchara.

MATERIALES: Dos recipientes pequeños, una cuchara, semillas, una charola mediana, equipo de trabajo de pintura.

ELABORACIÓN: Se decoran los recipientes y la charola. Se colocan las semillas en uno de los recipientes. Se coloca el recipiente lleno en el lado izquierdo de la charola y el vacío en el lado derecho; la cuchara se coloca en medio.

TÉCNICA: *Acción dirigida*. El niño toma la cuchara y la llena con las semillas. Pasa las semillas al recipiente de la derecha. Continúa igual hasta pasarlas todas. Repite la acción todas las veces que lo desee. Si es necesario, se usa la técnica de *presentación* para poner al niño en contacto con el estímulo.

VARIACIONES: También se pueden pasar líquidos de un lado a otro utilizando distintos instrumentos, como jeringas, esponjas, goteros, etcétera.

Idea obtenida de Sistema Montessori

OBJETOS PARA TAPAR Y DESTAPAR

Actividad individual o de equipo.

OBJETIVO: Dar a niños y niñas la oportunidad de ejercitar la coordinación fina tapando y destapando objetos.

MATERIALES: Diez cajas pequeñas con varias formas de abrir y cerrar, una charola grande, equipo de trabajo de pintura.

ELABORACIÓN: Se decora la charola. Se colocan las cajas dentro de la charola.

TÉCNICA: *Acción dirigida*. El niño abre todas las cajas. Después toma una a una cada caja, busca su tapa y la cierra.

VARIACIONES: También se pueden colocar botellas de distintos tamaños.

Idea obtenida de Sistema Montessori

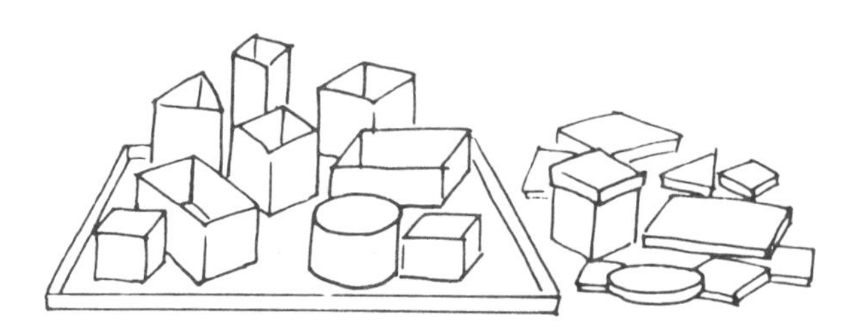

PAPEL PARA RECORTAR

Actividad individual.

OBJETIVO: Dar al niño o niña la oportunidad de aprender el uso de las tijeras, desarrollando así la coordinación fina.

MATERIALES: Cartoncillo, tijeras pequeñas de punta roma y con buen filo, un recipiente mediano, una charola pequeña, equipo de trabajo general y de pintura.

ELABORACIÓN: Se corta el cartoncillo en tiras de 1 x 10 cm. Se decoran el recipiente y la charola. Se colocan las tiras de cartoncillo dentro del recipiente y éste sobre la charola. Las tijeras se guardan en el lugar para objetos de uso controlado.

Técnica: *Presentación*. La educadora toma las tijeras, introduciendo los dedos medio y pulgar. Muestra el movimiento para abrirlas y cerrarlas. Toma el cartoncillo con la otra mano. Corta el papel en un solo movimiento de las tijeras. Hace varios cortes hasta que se termina la tira de cartoncillo. Invita al niño a hacer lo mismo.

VARIACIONES: Cuando ya puede cortar estas tiras, se le *sugiere* que corte alguno de los papeles con diseños, cortando por la línea. Después puede recortar ilustraciones o utilizar las tijeras para otros ejercicios, como el de «papel picado».

Idea obtenida de Sistema Montessori

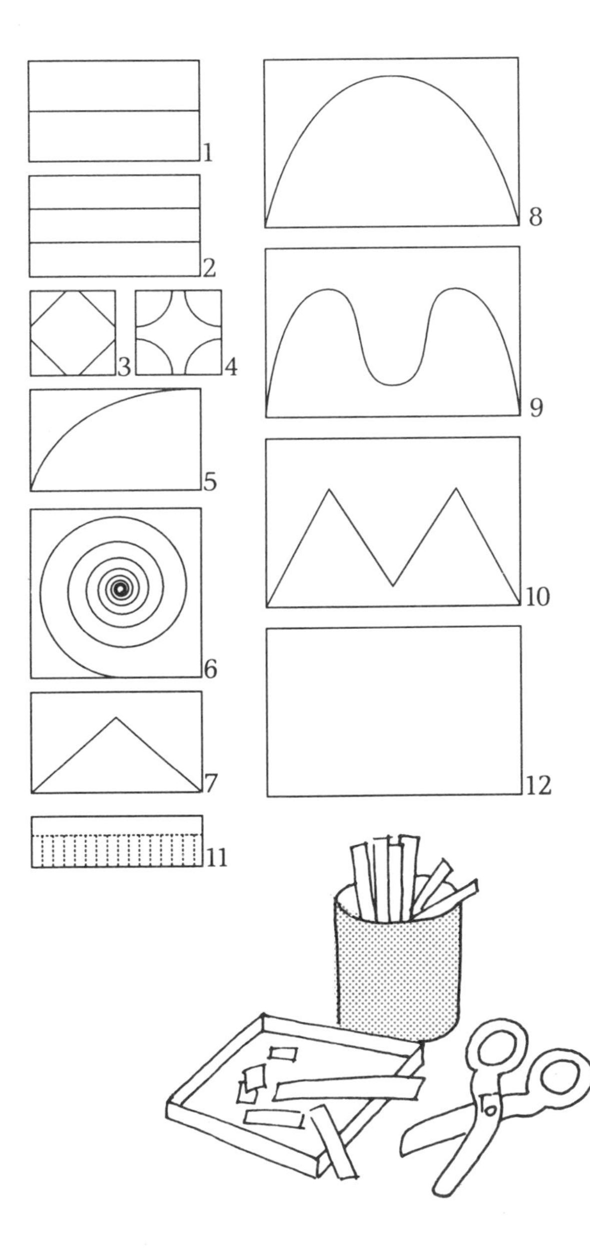

COSTURA

Actividad individual.

OBJETIVO: Dar al niño o niña la oportunidad de desarrollar la coordinación fina aprendiendo a usar la aguja para coser.

MATERIALES: Una aguja de canevá sin punta, estambre, plástico transparente, un pedazo pequeño de tela, un poco de algodón, un recipiente pequeño, una charola mediana, equipo de trabajo general, de costura y de pintura.

ELABORACIÓN: Con la tela se hace un alfiletero de aproximadamente 4 x 4 cm y se rellena de algodón. Se corta el plástico en rectángulos de 5 x 10 cm aproximadamente. Se marca una línea con puntos a lo largo de cada rectángulo. Se decoran la charola y el recipiente. Se coloca el alfiletero dentro del recipiente y éste y los rectángulos de plástico sobre la charola. La aguja y el estambre se colocan en el lugar de objetos de uso controlado.

TÉCNICA: *Presentación*. La educadora toma la aguja ensartada y con nudo; con la otra mano toma el plástico. Introduce la aguja en la primera marca, voltea el plástico y jala la aguja hasta el final del hilo. Mete la aguja en la siguiente marca, voltea el plástico y jala la aguja. Sigue cosiendo de la misma manera hasta la última marca. Remata con dos puntadas pequeñas y corta el hilo. Invita al niño a hacer lo mismo con otro plástico.

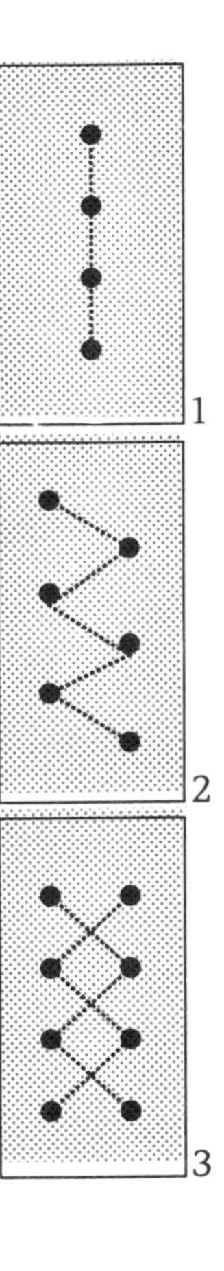

VARIACIONES: Más adelante puede coser el mismo diseño en tela de tejido abierto y después se pueden hacer otros dibujos, como los que se sugieren aquí.

OTROS EJERCICIOS: También puede coser botones, utilizando la misma técnica.

Idea obtenida de Sistema Montessori

BORDADO

Actividad individual.

OBJETIVO: Dar al niño o niña la oportunidad de desarrollar la coordinación fina aprendiendo a usar la aguja de bordar.

MATERIALES: Una aguja de canevá sin punta, estambre, tela de tejido abierto, un pedazo pequeño de tela, un poco de algodón, un recipiente pequeño, una charola mediana, equipo de trabajo general, de costura y de pintura.

ELABORACIÓN: Con la tela se hace un alfiletero de aproximadamente 4 x 4 cm y se rellena de algodón. Se corta la tela en rectángulos de 8 x 15 cm aproximadamente. Se marca sobre los rectángulos de tela la guía para bordar. Se decoran la charola y el recipiente. Se coloca el alfiletero dentro del recipiente y éste y los rectángulos de tela sobre la charola. La aguja y el estambre se colocan en el lugar de objetos de uso controlado.

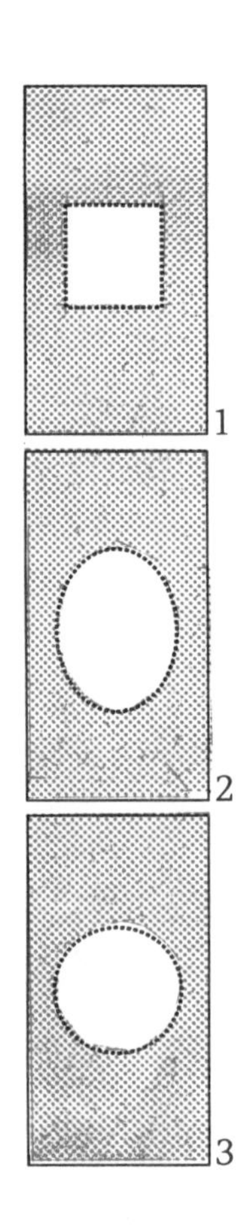

TÉCNICA: *Presentación.* La educadora toma la aguja ensartada y con nudo; con la otra mano toma la tela. Mete la aguja empezando por el principio de la línea. Jala la aguja hasta el nudo. Introduce la aguja en la línea del lado opuesto. Regresa la aguja por abajo, sacándola junto al punto donde empezó. Va rellenando el dibujo haciendo la misma puntada. Al final remata y corta el hilo. Invita al niño a hacer lo mismo con otro rectángulo de tela.

VARIACIONES: Puede bordar distintos diseños.

Actividad tradicional

TEJIDO A GANCHO

Actividad individual.

OBJETIVO: Dar al niño o niña la oportunidad de aprender a tejer, desarrollando así su coordinación fina.

MATERIALES: Un gancho grueso, estambre grueso, un recipiente mediano, equipo de trabajo de pintura.

ELABORACIÓN: Se decora el recipiente y se colocan dentro el gancho y el estambre.

TÉCNICA: *Presentación.* La educadora toma con una mano la punta del estambre; con la otra toma 10 cm de estambre y lo cruza formando una lazada. Detiene con una mano el cruce. Jala al mismo tiempo el estambre doblado y la punta para formar la lazada e iniciar la cadena. Detiene con una mano la lazada y con la otra toma el gancho. Mete el gancho en la lazada y con la punta de éste toma el estambre de abajo hacia arriba y lo jala para pasarlo por la lazada. Continúa igual hasta tejer varias cadenas. Invita al niño a hacer lo mismo.

Actividad tradicional

COMO GATOS

Actividad de grupo.

OBJETIVO: Dar a niños y niñas la oportunidad de hacer ejercicios con todos los músculos de su cuerpo y estimular el anverso de sus piernas.

MATERIALES: Una reata larga.

TÉCNICA: *Acción dirigida.* El educador coloca la reata por el salón, entre las sillas, debajo de las mesas, haciendo vueltas hasta volver a la punta donde empezó. Los niños gatean siguiendo el camino de la reata.

VARIACIONES: También se puede gatear sin tocar el suelo con las rodillas, o siguiendo el ritmo marcado por algún instrumento de percusión. Se puede hacer el mismo ejercicio, pero arrastrándose.

Juego tradicional

CARRERAS

Actividad de grupo.

OBJETIVO: Dar a niños y niñas la oportunidad de hacer ejercicio con todos los músculos de su cuerpo.

TÉCNICA: *Acción dirigida.* Los niños marcan el punto de salida y de llegada. Se colocan en línea y esperan la señal para salir. Uno de los niños grita: «en sus marcas, listos, fuera». Corren lo más rápido que pueden hasta llegar a la meta.

VARIACIONES: Se pueden hacer carreras de relevos, de salto de obstáculos o juegos tradicionales de carreras, como «La roña», «El lobo», etcétera.

Juego tradicional

RANAS SALTARINAS

Actividad de grupo.

OBJETIVO: Dar a niños y niñas la oportunidad de realizar un ejercicio que requiere energía, esfuerzo y organización grupal.

MATERIALES: Cinco llantas usadas, alcayatas, equipo de trabajo de carpintería.

ELABORACIÓN: Se limpian las llantas. Se clavan las alcayatas a 1,50 m de altura en una pared del patio para guardarlas cuando no se usen.

TÉCNICA: *Acción dirigida.* Los niños colocan las llantas acostadas en el suelo, una junto a otra. Por turnos van brincando una a una todas las llantas, cayendo enmedio.

Variaciones: Pueden brincar con un solo pie o colocar las llantas más alejadas.

También pueden brincar usando sacos de yute o plástico, o brincar la reata.

Juego tradicional

PELOTA

Actividad individual, de equipo o de grupo.

OBJETIVO: Dar a los niños la oportunidad de lanzar y atrapar una pelota.

MATERIALES: Una pelota mediana.

TÉCNICA: *Sugerencia*. Se invita a los niños a realizar la actividad.

VARIACIONES: Se pueden acomodar en círculo y lanzar la pelota siguiendo un orden, o lanzarla diciendo el nombre del compañero que ha de atraparla.

También se pueden organizar en grupos pequeños y lanzarla de uno a otro, con un compañero que intentará ganarla haciendo de «salero».

Se puede hacer un *tragabolas* con una caja grande a la que se le hace un hueco en el centro. Se lanzan pelotas pequeñas, hechas con calcetines o medias, que deben entrar por el hueco.

Juego tradicional

COMO COCHES

Actividad de equipo o de grupo.

OBJETIVO: Dar a niños y niñas la oportunidad de rodar llantas.

MATERIALES: Cinco llantas usadas, alcayatas, equipo de trabajo de carpintería.

ELABORACIÓN: Se limpian las llantas. Se clavan las alcayatas a 1,50 m de altura en una pared del patio para guardarlas cuando no se usen.

TÉCNICA: *Acción dirigida*. Los niños ruedan las llantas, utilizando una o ambas manos.

VARIACIONES: Pueden marcar una línea de salida y una de llegada y jugar carreras rodando las llantas.

Juego tradicional

TRONCOS RODANTES

Actividad de equipo o de grupo.

OBJETIVO: Dar a niñas y niños la oportunidad de estimular todo su cuerpo, rodándolo sobre el piso.

MATERIALES: 12 costales, equipo de costura.

ELABORACIÓN: Se forma un tapete con los costales, uniéndolos con aguja de canevá y estambre grueso.

TÉCNICA: *Acción dirigida*. Los niños se acuestan sobre los costales y ruedan varias veces hasta llegar al otro extremo.

Juego tradicional

ZANCOS

Actividad individual o de equipo.

OBJETIVO: Dar a niños y niñas la oportunidad de caminar sobre objetos equilibrando el peso de su cuerpo.

MATERIALES: Dos botes medianos, dos cordones o lazos delgados de 1,20 m de largo aproximadamente, equipo de trabajo de carpintería y de pintura.

ELABORACIÓN: Se hacen dos perforaciones en el fondo del bote, uno en cada extremo. Se pone el lazo o cordel en las perforaciones y se hace un nudo en cada lado. Se decoran los botes.

TÉCNICA: *Sugerencia*. Se invita al niño a realizar la actividad.

VARIACIONES: Más adelante se pueden usar botes más grandes. También se pueden hacer varios pares de zancos para jugar carreras.

Juego tradicional

LA VIGA

Actividad de grupo.

OBJETIVO: Dar a niños y niñas la oportunidad de caminar sin tocar el piso, equilibrando el peso de su cuerpo.

MATERIALES: Un polín o tronco de 2 metros de largo aproximadamente, 2 polines de 45 cm aproximadamente o algo que sirva de apoyo para sostener el polín, equipo de trabajo de carpintería.

ELABORACIÓN: Se lija y barnizan las maderas. Se clavan los polines cortos en los extremos del polín largo.

TÉCNICA: *Acción dirigida*. Los niños caminan, uno por uno, sobre la viga. Si alguno necesita ayuda, uno de los niños se la puede ofrecer.

VARIACIONES: Más adelante pueden caminar poniendo un pie en la viga y otro en el suelo o ir saltando con un pie adelante y el otro atrás, etcétera.

Juego tradicional

4. Cuidado del ambiente

LIMPIEZA DEL SALÓN

Actividad individual, de equipo o de grupo.

OBJETIVO: Dar a niños y niñas la oportunidad de cuidar de la limpieza de su ambiente.

MATERIALES: Cubeta pequeña, jerga y jalador o mechudo de 1 m de altura aproximadamente, escoba de 1 m de altura aproximadamente, recogedor, trapo de sacudir, fibras, jabón de pasta, cepillo para baño, trapos de cocina, trapos para secar, etcétera.

ELABORACIÓN: Se decoran todos los elementos de distinta manera, según el uso de cada uno; por ejemplo, todos los elementos para trapear pueden ser de un color, los de lavar los trastes de otro, los de sacudir de otro, etcétera.

TÉCNICA: *Acción dirigida*. Los niños hacen uso de los instrumentos de limpieza cuando así se requiere, ya sea porque todos hacen limpieza general del salón en algún momento del día o porque cada quien limpia lo que ensució. Cuando es necesario, se puede usar la técnica de *presentación*, usando movimientos lentos para mostrar una posible secuencia.

CUIDADO DE PLANTAS

Actividad individual o de equipo.

OBJETIVO: Dar a niños y niñas la oportunidad de cuidar, conocer y apreciar su medio ambiente natural.

MATERIALES: Plantas naturales sembradas en el piso o en maceta, una cubeta pequeña, un recipiente pequeño, una regadera, pala y rastrillo pequeños, una charola de plástico grande, equipo de trabajo de pintura.

ELABORACIÓN: Se decoran todos los elementos y se guardan en la charola grande.

TÉCNICA: *Acción dirigida*. El niño riega las plantas de las macetas con el recipiente pequeño y las plantas sembradas con la regadera. Si es necesario, afloja un poco la tierra con ayuda de la pala y el rastrillo.

VARIACIONES: A las plantas de interior les puede limpiar las hojas con un trapo suave y húmedo, haciéndolo con cuidado para no maltratarlas. Pueden también trasplantar, abonar y revisar las plantas para ver si no tienen plaga.

En el momento de trabajo de grupo, la educadora o los mismos niños pueden enseñar a otros los nombres y características de las plantas de la Estancia.

OTROS EJERCICIOS: También se puede tener algún animalito para que los niños lo cuiden.

Actividad doméstica

SEPARACIÓN DE DESECHOS

Actividad individual, de equipo o de grupo.

OBJETIVO: Dar a niños y niñas la oportunidad de aprender a cuidar el medio ambiente al separar y reciclar los desperdicios.

MATERIALES: Siete recipientes grandes, equipo de trabajo de pintura.

ELABORACIÓN: Se pone un letrero a cada recipiente, indicando el tipo de desperdicios que contendrá: *1)* plástico, *2)* papel y cartón, *3)* vidrio, *4)* metal, *5)* material combinado, *6)* desechos orgánicos y *7)* basura.

TÉCNICA: *Lección de grupo*. Se puede comenzar hablando a los niños sobre la gran cantidad de desechos que los hombres tiramos en el agua y en la tierra y la contaminación que éstos generan, apoyándose con algún texto y elaborando material didáctico adecuado a la edad de los niños.

Se les habla sobre la necesidad de separar y reciclar los desechos para evitar la contaminación y sobre todo de adquirir sólo productos cuyos empaques puedan reciclarse, como el papel y el cartón, evitando algunos plásticos, como el unisel.

Se presentan los recipientes marcados, o se marcan en ese momento frente a los niños, leyendo cada le-

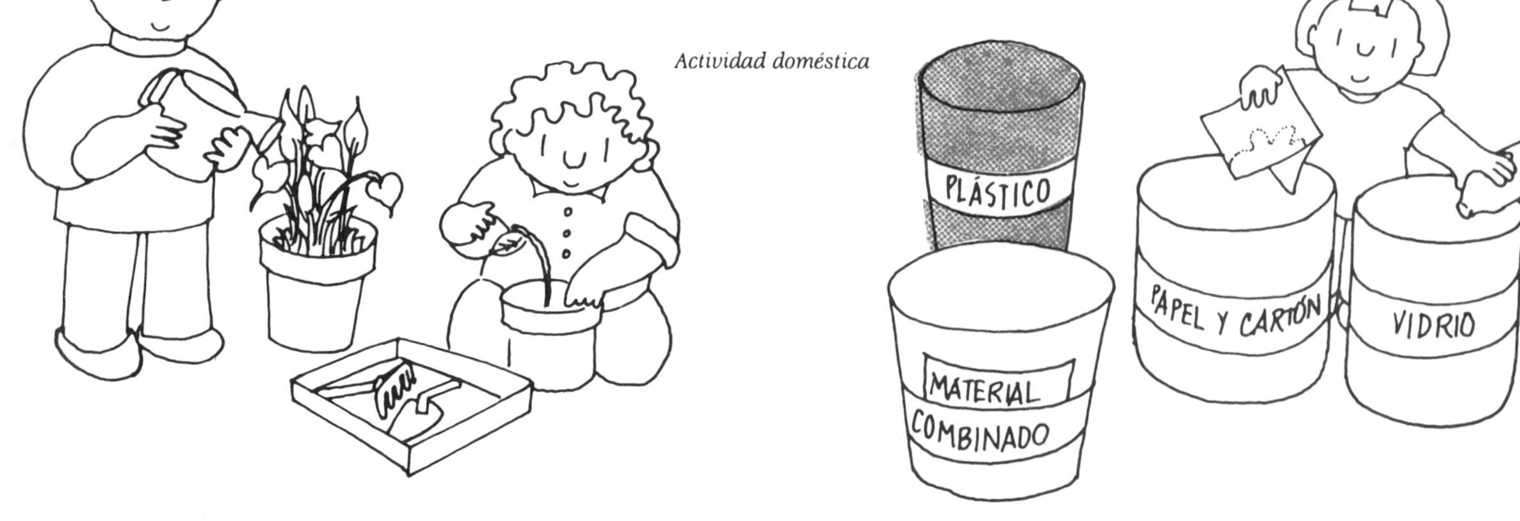

trero y haciendo con ellos un ejercicio de separar los desechos que se encuentren en ese momento a la mano.

NOTA: Es importante que desde ese momento siempre se separen los desechos y se envíen a algún lugar para su reciclaje. Algunos criterios para el tratamiento de éstos son:

a) Todos los desechos inorgánicos deben estar limpios y secos.

b) El papel se puede empacar por pilas y amarrarlo.

c) Las latas se pueden abrir por ambos lados y aplanarlas.

d) Los envases de plástico se pueden aplanar.

e) Los desechos orgánicos se entierran y se tapan bien. Más adelante se pueden utilizar como abono para las plantas.

f) Los desechos que no se pueden reutilizar (como pilas, pañales desechables, servilletas, etcétera) se ponen en el recipiente marcado con el letrero BASURA y se tiran en el camión de limpia.

g) Es importante separar aquello que pueda reutilizarse en la Estancia, como latas y recipientes para contener el material, papel para *collage*, etcétera.

Actividad doméstica

EJERCICIOS DE AUTOCONTROL

Actividad de grupo.

OBJETIVO: Dar a niños y niñas la oportunidad de realizar actividades de control de sus movimientos para ayudar al cuidado y mejor funcionamiento del grupo, así como para evitar accidentes.

MATERIALES: Los objetos del salón.

TÉCNICA: *Presentación*. Se muestra a los niños cómo realizar la actividad y luego se pide a dos o tres de ellos que lo muestren a los demás.

Por ejemplo, las tijeras se toman abrazando las hojas y con la punta hacia abajo. Para llevar la aguja, se clava en el alfiletero y éste se pone en la mano. Para llevar una charola, se toma con las dos manos y se acerca al cuerpo. Para caminar en el salón, se rodean los tapetes que estén en ese momento en el suelo. Así puedes mostrar la manera de moverse por el salón según las necesidades de las distintas actividades que se realizan.

Idea obtenida de Sistema Montessori

LAVARSE LAS MANOS

Actividad individual.

OBJETIVO: Dar al niño o niña la oportunidad de cuidar de su cuerpo y de su salud, formando hábitos de higiene.

MATERIALES: Una palangana mediana, un recipiente pequeño, dos cubetas pequeñas, una charola pequeña, un jabón, una toalla mediana, equipo de trabajo de pintura.

ELABORACIÓN: Se decoran la palangana, el recipiente, una cubeta y la charola con una raya blanca. Se decora la otra cubeta con una raya negra o café. Se coloca el jabón en la charola y se cuelga la toalla a la pared con una alcayata.

TÉCNICA: *Presentación*. El niño llena la cubeta blanca con agua limpia. Llena el recipiente pequeño con agua y la pone en la palangana; vuelve a llenar el recipiente y lo deja a un lado. Moja sus manos sumergiéndolas en la palangana. Toma un poco de jabón y se frota las manos, lavándose cada dedo, la palma y el dorso. Se enjuaga las manos en la palangana y luego toma el recipiente y vacía un poco de agua sobre sus manos para terminar de enjuagarse. Al terminar, vacía toda el agua de la palangana en la cubeta café y se seca bien las manos. El agua sucia puede reutilizarse para lavar el piso o para limpiar el baño.

Actividad doméstica

LAVARSE LOS DIENTES

Actividad individual.

OBJETIVO: Dar al niño o niña la oportunidad de cuidar de su cuerpo y de su salud, formando hábitos de higiene.

MATERIALES: Un cepillo de dientes y un vaso pequeño para cada niño, una jarra, una repisa.

ELABORACIÓN: Se marca cada cepillo y vaso con el nombre del niño. Se colocan los cepillos en los vasos y éstos sobre la repisa.

TÉCNICA: *Presentación*. El niño toma la jarra y le pone agua hervida fría. Lleva la jarra, su vaso y su cepillo de dientes al lavabo (si no lo hay, en una palangana). Vacía un poco de agua en el vaso y se talla los dientes por todas sus caras, cepillando la cara anterior y la posterior desde la encía hacia arriba y las muelas con movimiento circular. Al final cepilla ligeramente la lengua. Toma un poco de agua y se enjuaga. Si se desea, se puede cepillar nuevamente con pasta y enjuagar muy bien.

VARIACIONES: El niño puede verse en el espejo mientras se cepilla los dientes.

Actividad doméstica

En este espacio se colocan todos los estímulos que se relacionan con las áreas de ciencias naturales, ciencias sociales, matemáticas y geometría.

En su vida cotidiana, el niño y el adulto están rodeados de acontecimientos sociales y fenómenos naturales que requieren constante observación, cuantificación, interpretación y toma de decisiones. Por esto el niño tiene, de manera natural, un gran interés en todos estos temas. Pregunta, analiza, compara y saca sus propias conclusiones, que corresponden a su nivel de desarrollo. Si en el salón damos al niño muchas oportunidades de preguntarse a sí mismo y de preguntarle a los demás sobre lo que sucede a su alrededor, sus cuestionamientos y respuestas serán más ricas y su interés crecerá aún más.

Los estímulos de este espacio los hemos dividido en: *1)* ejercicios de lógica, *2)* conteo, *3)* medida, *4)* geometría, *5)* biología y física, *6)* historia, geografía y derechos humanos.

1. Ejercicios de lógica

PALITOS

Actividad individual o de equipo.

OBJETIVO: Dar a niños y niñas la oportunidad de agrupar por semejanzas.

MATERIALES: Una charola grande, un recipiente mediano, tres recipientes pequeños, 30 palitos de diferentes tamaños y grosores, equipo de trabajo de carpintería y de pintura.

ELABORACIÓN: Se lijan los palitos y se pintan de distintos colores. Se decoran los recipientes y la charola. Se colocan todos los palitos dentro del recipiente mediano y todo sobre la charola.

TÉCNICA: *Sugerencia*. El niño agrupa los palitos en los recipientes. Cuando ha terminado, se le puede preguntar: «¿por qué los separaste así?», «¿de qué otra manera se pueden agrupar?», «¿en qué se parecen éstos?», o cualquier otra pregunta que lo ayude a reflexionar sobre la manera en que los agrupó.

VARIACIONES: Se pueden tener otros objetos, como tapaderas, argollas forradas de estambre, etcétera.

Idea obtenida de Sistema Montessori

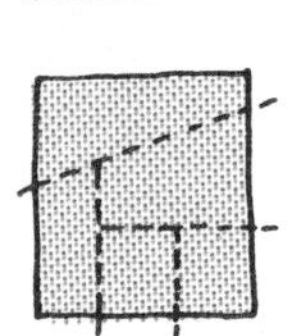

ROMPECABEZAS

Actividad individual o de equipo.

OBJETIVO: Dar a niños y niñas la oportunidad de identificar las partes de un todo, armando rompecabezas sencillos.

MATERIALES: Tres pares de imágenes grandes, cartoncillo, tres sobres grandes, una charola, equipo de trabajo general y de pintura.

ELABORACIÓN: Se pega cada imagen sobre el cartoncillo. Por el reverso se marcan las líneas de corte deseadas (unas cuatro o cinco) y se recortan las ilustraciones. Se barnizan las piezas y se coloca cada rompecabezas dentro de un sobre. Se pegan las imágenes completas en los sobres y se colocan en la charola.

TÉCNICA: *Sugerencia*. Se invita a los niños a realizar la actividad.

VARIACIONES: Se puede variar el número de piezas y la forma del corte. También se pueden tener rompecabezas comprados, hasta de 60 a 100 piezas.

Idea obtenida de Luz María Chapela

DIMENSIONES

Actividad individual o de equipo.

OBJETIVO: Dar a niños y niñas la oportunidad de seriar los materiales de acuerdo con su longitud.

MATERIALES: De 10 a 12 varas de carrizo de distinta longitud, un recipiente grande, equipo de trabajo de pintura.

ELABORACIÓN: Se decora el recipiente y se colocan las varas dentro de él.

TÉCNICA: *Acción dirigida*. El niño acomoda las varas en orden, de acuerdo con su longitud. Cuando el niño ha terminado, se le puede preguntar: «¿de qué otra forma podemos acomodar estas varas?», «¿en qué se parecen?», «¿en qué son diferentes?»

VARIACIONES: Se pueden utilizar otros materiales de distinta longitud, como tubos, palos, etcétera. También se pueden usar materiales que sean diferentes en otras dimensiones, como grosor, altura, tamaño, etcétera.

Idea obtenida de Sistema Montessori

SEMEJANTES Y DIFERENTES

Actividad individual o de equipo.

OBJETIVO: Dar a niños y niñas la oportunidad de encontrar semejanzas y diferencias entre los objetos y agruparlos de acuerdo con éstas.

MATERIALES: Objetos pequeños diversos en textura, color, forma, material, tamaño, peso; un recipiente grande, de 6 a 8 recipientes medianos, una charola grande, equipo de trabajo de pintura.

ELABORACIÓN: Se decoran los recipientes y la charola. Se colocan los objetos dentro del recipiente grande y todo sobre la charola.

TÉCNICA: *Acción dirigida.* El niño agrupa los materiales en los recipientes, de acuerdo con su propio criterio de semejanza o diferencia.

Idea obtenida de Mary Baratta-Lorton

COJINES DE TACTO

Actividad individual o de equipo.

OBJETIVO: Dar a niños y niñas la oportunidad de desarrollar su sentido del tacto.

MATERIALES: Dos metros de tela delgada de color liso, objetos de distinta textura, como fibra, estropajo, semillas, piedritas, arena, harina, algodón; una charola grande, equipo de trabajo de costura y de pintura.

ELABORACIÓN: Se hacen 20 saquitos de 10 x 8 cm aproximadamente y se cosen por tres lados. Se rellenan por pares de distintos materiales. Se cierran los saquitos y se colocan sobre la charola.

TÉCNICA: *Acción dirigida.* El niño encuentra los pares de la misma textura y los acomoda juntos.

VARIACIONES: También puede tratar de adivinar lo que cada uno de los saquitos contiene. Se pueden recortar por pares pedazos de tela y agruparlos, teniendo el niño los ojos tapados con un antifaz.

Idea obtenida de Mary Baratta-Lorton

CILINDROS DE ASOCIACIÓN

Actividad individual o de equipo.

OBJETIVO: Dar a niños y niñas la oportunidad de encontrar semejanzas y diferencias entre los sonidos.

MATERIALES: 12 latas pequeñas, 12 tapaderas de metal del tamaño de las latas, objetos que produzcan sonidos diversos dentro de la lata, como semillas, clavos, arena, balines; una charola mediana, pegamento para metal, equipo de trabajo de pintura.

ELABORACIÓN: Se rellenan las latas por pares. Se cierran y se pegan las tapas. Se decoran las latas y la charola.

TÉCNICA: *Acción dirigida.* El niño acomoda las latas según su sonido.

VARIACIONES: Puede aparear las latas por su sonido. También puede graduar los sonidos, desde el más bajo hasta el más alto, o desde el más fuerte hasta el más suave.

Idea obtenida de Sistema Montessori

2. Conteo

BOTES DE PALITOS

Actividad individual.

OBJETIVO: Dar al niño o niña la oportunidad de practicar el conteo del uno al diez y de relacionar la cantidad con el numeral correspondiente.

MATERIALES: 55 palitos de madera, diez recipientes pequeños, un recipiente mediano, una charola grande, equipo de trabajo general y de pintura.

ELABORACIÓN: Se barnizan y decoran los palitos, los recipientes y la charola. Se marcan los numerales del uno al diez sobre los recipientes pequeños. Se colocan los palitos dentro del recipiente mediano y todo sobre la charola.

TÉCNICA: *Acción dirigida.* El niño saca todos los recipientes y los coloca sobre el tapete. Lee el primer numeral y coloca el número correspondiente de palitos dentro del recipiente. Hace lo mismo con el resto de los recipientes.

VARIACIONES: Si el niño aún no puede leer los numerales, hace el ejercicio en equipo con un niño que ya los lea o puede pedir ayuda a la educadora. También se puede aumentar el número de palitos hasta contar cien o más.

Se pueden contar otros materiales ya preparados para este fin o lo que vaya surgiendo de la actividad cotidiana, como contar el número de niños que vinieron, los que faltaron, las galletas que le tocaron a cada uno, etcétera.

Idea obtenida de Sistema Montessori

CONTANDO Y CONOCIENDO EL NÚMERO

Actividad individual.

OBJETIVO: Dar al niño o niña la oportunidad de hacer correspondencia uno a uno y de practicar el conteo del uno al diez.

MATERIALES: 55 semillas o fichas pequeñas, diez charolas pequeñas, un recipiente pequeño, una charola grande, equipo de pintura.

ELABORACIÓN: Se decoran las charolas y los recipientes. En cada una de las charolas pequeñas se hace un distinto número de marcas, desde una hasta diez. Se colocan las semillas en el recipiente y todo sobre la charola grande.

TÉCNICA: *Acción dirigida.* El niño acomoda las charolas sobre el tapete. Pone una semilla en cada marca de las charolas. Puede ir contando al mismo tiempo.

VARIACIONES: Más adelante se pueden hacer tarjetas pequeñas con los numerales del uno al diez para que el niño acomode cada tarjeta junto o dentro de la charola correspondiente.

Idea obtenida de SEIP

JUEGO DE MEMORIA DE LOS NÚMEROS

Actividad de equipo.

OBJETIVO: Dar a niños y niñas la oportunidad de memorizar la escritura de los numerales del cero al diez.

MATERIALES: 25 semillas o piedras pequeñas, 11 tarjetas de cartoncillo blanco de 8 x 8 cm aproximadamente, dos recipientes medianos, tres charolas pequeñas, una charola mediana, equipo de trabajo general y de pintura.

ELABORACIÓN: Se marca un renglón en cada tarjeta y se escribe un numeral del cero al diez. Se doblan las tarjetas en cuatro. Se decoran los recipientes y las charolas. Se colocan las tarjetas en uno de los recipientes, las semillas en el otro y se coloca todo sobre la charola.

TÉCNICA: *Acción dirigida.* Cada niño toma una charola pequeña y una tarjeta y las lleva al tapete. Cada uno desdobla su tarjeta sin que nadie más la vea, lee el numeral y vuelve a doblar la tarjeta. Toma la charola y trae en ella el número correspondiente de semillas. Al regresar al tapete, muestra sus numerales y cuenta en voz alta sus semillas. Si alguno se equivocó, puede corregir.

VARIACIONES: Más adelante pueden hacer una actividad intermedia antes de contar las semillas, como lavarse las manos o llevar un recado, de manera que guarden el numeral más tiempo en la memoria.

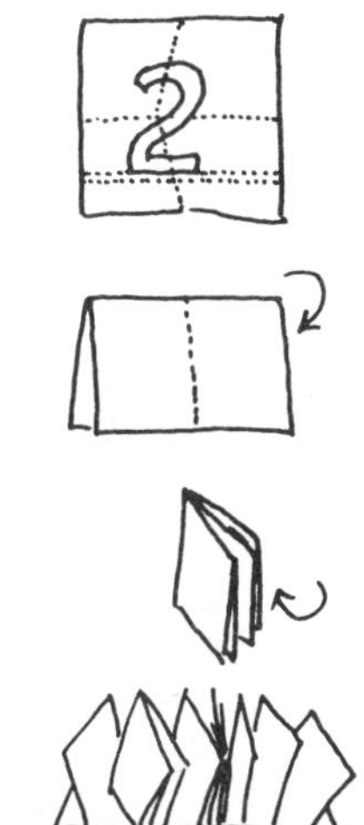

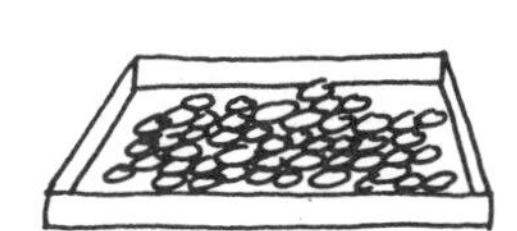

Idea obtenida de Sistema Montessori

ALTO

Actividad de grupo.

OBJETIVO: Dar a niños y niñas la oportunidad de medir distancias, utilizando como unidad los pasos.

MATERIALES: Un gis.

ELABORACIÓN: Cuando se va a jugar, se marcan en el piso dos círculos, uno dentro del otro. El círculo exterior se divide en varias partes, de acuerdo con el número de jugadores.

TÉCNICA: Uno de los niños se coloca en el centro y los demás en alguno de los lugares del círculo exterior. El niño del centro puede decir: «Declaro la paz a favor de mi amigo... Juan». Todos los niños corren alejándose lo más que puedan, mientras el niño nombrado corre al círculo interior y grita «¡alto!» En ese momento todos se quedan quietos. Ahora el niño del centro escoge a un compañero y dice a cuántos pasos de distancia se encuentra. Los mide. Si acierta, el otro niño pasa al centro; si no, él vuelve a quedarse en el centro al siguiente turno.

VARIACIONES: Más adelante se puede decir también el tamaño de los pasos; por ejemplo, «tres pasos largos» o «nueve pasos cortos».

También se pueden medir distancias con cuartas, con dedos o con unidades estandarizadas, como metros o centímetros.

Juego tradicional

¿CUÁNTO MIDO YO?

Actividad de grupo.

OBJETIVO: Dar a niños y niñas la oportunidad de medirse y de comparar su talla con la de sus compañeros o con la suya propia al paso del tiempo.

MATERIALES: Cartón grueso, tarjetas de aproximadamente 15 x 5 cm con los nombres de los niños, equipo de trabajo general y de carpintería.

ELABORACIÓN: Se corta el cartón en varios tramos de 5 cm de ancho. Se pegan juntos varios tramos para formar una tira de 1,50 m de largo aproximadamente. Se marca la tira cada centímetro y se escriben los numerales correspondientes. Se fija esta cinta a la pared.

TÉCNICA: *Acción dirigida.* Uno a uno, los niños van quitándose los zapatos y midiéndose, marcando su estatura sobre la pared. En la marca correspondiente, cada uno coloca el letrero de su nombre.

VARIACIONES: Esta medición puede realizarse cada dos o tres meses, comparando su estatura actual con la anterior y con la de los demás compañeros.

Idea obtenida de SEIP

LAS FORMAS

Actividad de grupo.

OBJETIVO: Dar a niños y niñas la oportunidad de reconocer y nombrar algunas figuras geométricas: círculo, triángulo y cuadrado.

MATERIALES: Plástico grueso de tres colores, aproximadamente un metro de cada color; una charola grande, equipo de trabajo general y de pintura.

ELABORACIÓN: Se cortan dos círculos pequeños, dos medianos y dos grandes de cada color. Se cortan dos triángulos pequeños, dos medianos y dos grandes de cada color. Se cortan dos cuadrados pequeños, dos medianos y dos grandes de cada color. Se decora la charola. Se colocan las figuras sobre la charola.

TÉCNICA: *Acción dirigida.* Los niños extienden las figuras en el área exterior. Van tomando distintas figuras según lo indique la educadora o alguno de los niños. Por ejemplo: «párense encima de un círculo», «toquen un cuadrado grande», «brinquen encima de todos los triángulos», «levanten un círculo pequeño azul», etcétera.

Idea obtenida de Julieta Pancaldi

BOLSA MISTERIOSA

Actividad individual.

OBJETIVO: Dar a las niñas y los niños la oportunidad de reconocer distintas figuras con el tacto.

MATERIALES: Medio metro de tela gruesa, medio metro de listón, cartón grueso, 8 a 10 tarjetas blancas de aproximadamente 8 x 8 cm, una charola mediana, equipo de trabajo general, de costura y de pintura.

ELABORACIÓN: Se hace un morral con la tela y se le pone una jareta con el listón. Se cortan distintas figuras geométricas del cartón grueso (círculo, triángulo, cuadrado, óvalo, trapecio, rombo, rectángulo, etcétera). Se dibujan estas mismas figuras sobre las tarjetas. Se enmican las tarjetas y las figuras. Se decora la charola. Se colocan las figuras dentro del morral y las tarjetas en la charola.

TÉCNICA: *Acción dirigida.* El niño saca una tarjeta y mira la figura. Mete la mano a la bolsa y con el tacto reconoce la figura. La saca de la bolsa y la compara con la tarjeta; si acierta, deja la figura afuera; si no, la regresa a la bolsa y vuelve a intentarlo. Continúa de la misma manera hasta sacar todas las figuras.

VARIACIONES: Se pueden colocar cuerpos geométricos u objetos de uso cotidiano donde se reconozcan estos cuerpos, como cajas, pelotas, etcétera.

Idea obtenida de Sistema Montessori

MESA DE OBSERVACIÓN

Actividad individual, de equipo o de grupo.

OBJETIVO: Dar a niños y niñas la oportunidad de observar, manipular, conocer y apreciar diversos elementos naturales.

MATERIALES: Una mesa colocada en un lugar bien iluminado, una lupa mediana, algunas charolas y recipientes de distintos tamaños, tarjetas con dibujos, fotos o información sobre el tema; elementos o colecciones para observar, por ejemplo, caracoles, semillas, minerales, hojas, nidos, capullos, instrumentos musicales, tipos de escritura, etcétera. Un mantel verde (para las ocasiones en que los elementos sí puedan manipularse) y un mantel rojo (para ponerse sobre la mesa en las ocasiones en que los elementos no puedan manipularse).

ELABORACIÓN: Se puede pedir información sobre el tema a los padres y a otras personas de la comunidad o buscar en libros y revistas. Con esta información se preparan fichas o libros especiales adecuados al nivel y al interés de los niños del salón.

Se colocan los elementos sobre las charolas o recipientes decorados y se arreglan sobre la mesa, de manera que se puedan observar y tocar con seguridad. La lupa puede colocarse en un lugar fijo. Se exhiben las tarjetas con la información, las ilustraciones o libros sobre el tema.

TÉCNICA: *Sugerencia*. Se invita al niño a realizar la actividad, observando, manipulando, leyendo y preguntando sobre lo que observa.

VARIACIONES: Si la actividad se realiza en grupo, se puede dar una *explicación verbal* más amplia sobre el tema, aprovechando la investigación que los niños han hecho previamente en su casa o comunidad.

Idea obtenida de Sistema Montessori

MESA DE EXPERIMENTOS

Trabajo individual o de equipo.

OBJETIVO: Dar a niñas y niños la oportunidad de experimentar y predecir el resultado de la manipulación o combinación de distintos elementos.

MATERIALES: Una mesa colocada en un lugar bien iluminado, un estante, papel y lápiz, una lupa mediana, algunas charolas y recipientes de distintos tamaños, dos o tres cucharas de madera, agua, harina, colorantes vegetales, azúcar, sal, gises blancos y de colores, plumas, piedras, caracoles, hojas naturales, tierra, corcho, etcétera; equipo de trabajo general.

ELABORACIÓN: Se etiqueta cada uno de los recipientes y se colocan los elementos en donde corresponde; se acomoda todo sobre el estante.

TÉCNICA: *Acción dirigida*. El niño describe el experimento que va a realizar, por ejemplo, combinar azúcar con harina o colocar distintos elementos sobre el agua para ver cuáles flotan, etcétera. Predice el resultado que obtendrá y lo anota en el papel o lo describe verbalmente. Cuando ha realizado el experimento, compara sus predicciones con los resultados que obtuvo. Puede escribir o dibujar en el papel sus observaciones.

Idea obtenida de Educación Comunitaria Nezahualpilli

VISITAS A LUGARES

Actividad de grupo.

OBJETIVO: Dar a niños y niñas la oportunidad de conocer y preguntarse acerca de las costumbres y las personas de su comunidad y de otros lugares, disfrutando de lo que tienen a su alrededor.

TÉCNICA: *Acción dirigida y lección de grupo*. Dependiendo del tipo de visita, se puede realizar alguna actividad anterior de preparación. Por ejemplo, si se va a visitar un museo, se puede estudiar, leer, preguntar sobre el contenido de la exposición. Si se va a visitar a alguna persona de la comunidad, se pueden preparar y escribir algunas preguntas sobre las dudas que los niños tengan en relación con las costumbres y la historia del lugar.

OTROS EJERCICIOS: También se pueden hacer visitas a personas de la comunidad para aprender sobre su actividad o profesión, o ir a conocer al hermano recién nacido de algún compañero; a visitar a los niños cuando se enferman, etcétera.

Idea obtenida de SEIP

PREPARACIÓN DE FESTIVIDADES

Actividad de grupo.

OBJETIVO: Dar a niños y niñas la oportunidad de conocer y disfrutar de las festividades que se celebran en su comunidad.

MATERIALES: De acuerdo con la festividad que se prepara.

TÉCNICA: *Acción dirigida o lección de grupo*, de acuerdo con la actividad que se realiza. Por ejemplo, se puede hacer una piñata para la posada; poner y adornar el altar de muertos; preparar y presentar una pastorela en las posadas, participar con algún canto en la fiesta patronal, etcétera.

NOTA: Es importante que los niños, los padres y las educadoras investiguen sobre el origen y el significado de las festividades, de manera que puedan reflexionar sobre ellas y celebrarlas críticamente.

Idea obtenida de SEIP

LA LÍNEA DE LA VIDA

Actividad individual.

OBJETIVO: Dar a niñas y niños la oportunidad de relatar algunos sucesos de su propia vida, siguiendo un orden temporal.

MATERIALES: Cartoncillo de color claro, lápiz, de 3 a 5 fotos o dibujos del niño, en distintos momentos de su vida, equipo de trabajo general.

ELABORACIÓN: Se hace una tira con el cartoncillo de aproximadamente 30 x 100 cm. Se marca una línea gruesa con el plumón a la mitad de la hoja.

TÉCNICA: *Acción dirigida*. El niño acomoda sus fotos o dibujos en secuencia temporal. Pega la primera foto en el cartoncillo, por arriba de la línea. Debajo de la foto escribe algo en relación con ella, puede ser una anécdota o una descripción. Hace lo mismo con el resto de las fotos. Las líneas de la vida de todos los niños pueden exponerse durante algunos días o semanas para que el resto del grupo y las familias las vean y conozcan sus historias.

VARIACIONES: Se pueden trazar dos líneas paralelas en la misma hoja de cartoncillo; la *línea de la vida* del niño puede hacerse sobre la línea superior y en la inferior marcar otros acontecimientos, como el desarrollo de otro hermano, de algún pariente, de sucesos importantes de la comunidad o del país, etcétera.

También se puede hacer esta actividad para conocer la vida de otras personas de la comunidad o de personajes famosos.

Idea obtenida de Sistema Montessori

ASÍ SOY YO

Actividad de grupo.

OBJETIVO: Dar a niños y niñas la oportunidad de expresar la imagen que tienen de sí mismos y favorecer su autoestima.

MATERIALES: Un espejo de cuerpo completo.

TÉCNICA: *Acción dirigida.* Se sientan todos juntos en círculo frente al espejo. Por turnos, cada uno dice su nombre y se describe a sí mismo. El juego termina cuando todos han pasado.

VARIACIONES: Otro día pueden describirse sin mirarse al espejo. Los compañeros pueden también comentar o completar la imagen.

Más adelante pueden expresar sus cualidades, diciendo, por ejemplo, «Yo soy María y soy muy cariñosa», «Yo soy Paco y soy alegre».

También pueden dibujar, por parejas, su silueta en un papel grande. Cada niño se mira en el espejo y completa su silueta dibujando su cara, sus miembros, su ropa, etcétera. Estas siluetas se colocan en las paredes del patio o salón para que todos las vean. Si se desea, los niños pueden escribir o dibujar una palabra de aprecio junto a la silueta de cada compañero, como, «es amable», «comparte con todos», «es juguetón», etcétera. También pueden dibujarse libremente en una hoja de papel y decir a los demás cómo son.

Idea obtenida de Paco Cascón

¿QUÉ SON LOS DERECHOS DE LOS NIÑOS?

Actividad de grupo.

OBJETIVO: Dar a niños y niñas la oportunidad de conocer cuáles son los derechos de los niños.

MATERIALES: Un cartón o papel de aproximadamente 50 x 60 cm, hojas de papel de tamaño un cuarto de carta, crayones o colores, equipo de trabajo general.

ELABORACIÓN: Sobre el cartón se dibujan las siluetas de un niño y una niña.

TÉCNICA: *Acción dirigida.* Los niños van diciendo qué cosas necesitan el niño y la niña para crecer sanos y felices. Dibujan lo que van diciendo y lo colocan sobre, dentro o a un lado de las siluetas. Por ejemplo, tener un nombre, una familia, una escuela, ropa, zapatos, juguetes, un parque, transporte, cuidado, cariño, agua limpia, vacunas, etcétera.

Al final, se hace un resumen de todo lo que los niños necesitan, procurando resaltar lo que es indispensable, y se comenta que todo esto que los niños necesitan son precisamente sus derechos.

VARIACIONES: Se pueden elegir temas específicos sobre los derechos, como el derecho a una familia que nos quiera y nos cuide, el derecho a una educación de calidad, el derecho a información cierta y adecuada, etcétera. Los niños pueden decir lo que piensan, hacer dibujos, escribir, preguntar a los padres, etcétera. Las conclusiones del tema se pueden presentar en folletitos con sus dibujos y textos y se pueden repartir a las familias y a otros miembros de la comunidad.

Idea obtenida de Leticia Landeros

5. EL DESARROLLO DE LAS NIÑAS Y LOS NIÑOS PREESCOLARES

Sabemos ya que el desarrollo de cada una de las niñas y los niños es totalmente personal y único, ya que cada uno *construye su propio camino*.

Así, por ejemplo, podemos ver en un mismo grupo que un niño de cuatro años ya tiene mucho interés en leer y escribir como los adultos, traza algunas letras, escribe su nombre, mientras que otro de la misma edad está más bien interesado en construir estructuras con bloques de distintos tamaños. Estos dos niños están aprendiendo muchas cosas de sus actividades, están imitando a los adultos, se están expresando, están imaginando, utilizando el espacio, pero cada uno se desarrolla por un camino que él mismo construye de acuerdo con sus necesidades e intereses personales. Seguramente los dos van a aprender a leer y a escribir, aunque en momentos distintos.

En la etapa preescolar (de los tres a los seis años de edad) las niñas y los niños se interesan prácticamente por todo lo que les rodea. Igual les gusta preguntar y saber de las estrellas que de los coches o de los árboles o la pobreza o de cómo funcionan los aparatos, las plantas y los animales. Como educadoras podemos aprovechar todos estos intereses para proporcionarles oportunidades de desarrollar todos los aspectos de su persona; es decir, darles la misma importancia a las actividades físicas, intelectuales, sociales o afectivas.

Abordamos el desarrollo de los niños en tres aspectos: cognoscitivo (del pensamiento), emocional (de los afectos y las relaciones con los demás) y motor (del cuerpo, su percepción, sus movimientos y habilidades). De esta manera es más fácil entender los cambios que suceden durante esta etapa, pero es importante recordar siempre que estos aspectos están íntimamente ligados en las actividades que realizamos; por ejemplo, cuando jugamos futbol desarrollamos la coordinación gruesa (área motora), pero también la capacidad de ponerse de acuerdo con los demás (área afectiva) y la estrategia para defender la portería (área intelectual).

EL DESARROLLO COGNOSCITIVO

Durante los años preescolares los niños desarrollan su pensamiento no solamente a través de la manipulación (tocar, ver, oler, chupar, etcétera) de objetos concretos, que sigue siendo muy importante, sino que ahora también tienen como herramienta el lenguaje y el juego de representación (como el de la casita).

Es muy común ver a los niños y niñas jugando a la casita, a la mamá, al papá, al chofer, a la tiendita. Para estos juegos pueden usar objetos que no se parecen a los de la realidad. Por ejemplo, para jugar a los carritos pueden usar un plato para simular el volante o un palito como palanca de velocidades. Esto es el principio del pensamiento abstracto; ya no necesitan el objeto real frente a ellos, sino que lo imaginan, ayudándose de otros objetos, o lo traen a la mente por medio del lenguaje.

Estas nuevas herramientas: el lenguaje y la representación dan un gran impulso a su pensamiento; sin embargo, aún no pueden entender claramente el punto de vista de otra persona, porque su pensamiento es *egocéntrico* (centrado en su propia persona). Por eso creen que todos ven lo mismo que ellos, piensan lo mismo; sienten lo mismo que él siente. Es común un comentario como: "mi casa es la que tiene una puerta roja".

El pensamiento de los preescolares atiende un solo aspecto a la vez (*centración*). Esto los lleva a pensar que en dos colecciones de objetos tiene más la que ocupa mayor espacio, puesto que sólo se fijan en el espacio total y no en la separación entre cada objeto.

En este momento su pensamiento es *irreversible*; es decir, no puede regresar al punto de partida. Por ejemplo, si les mostramos dos vasos idénticos con la misma cantidad de agua y luego vaciamos uno de ellos en un frasco más estrecho piensan que el volumen de agua aumentó, ya que no recuerdan que momentos antes eran iguales.

Estas características del pensamiento de los niños preescolares nos hacen ver la importancia de tener siempre objetos concretos para que a partir de ellos elaboren y contrasten sus predicciones.

EL DESARROLLO EMOCIONAL

Los niños aprenden cómo es el mundo al mismo tiempo que forman su propio concepto de sí mismos y de cómo relacionarse con los demás.

En los primeros meses de vida, el niño es totalmente dependiente de los cuidados que le dan los adultos. Conforme va madurando y desarrollando su cuerpo, sus movimientos, su pensamiento y su lenguaje va también independizándose cada vez más. En la etapa preescolar sigue necesitando mucho la aprobación, el cariño, la cercanía de los adultos, pero también se relaciona cada vez más con los niños de su edad.

A través de los juegos de representación (de la casita) practica las relaciones que ve a su alrededor y resuelve sus propios conflictos, miedos y angustias. Ésta es una gran oportunidad para entender lo que siente y poder manejarlo en el trabajo cotidiano del salón.

Es importante proporcionar un ambiente donde ellos se sienta seguro y querido para que pueda participar activamente en la determinación de las reglas, en el trabajo, en la relación con los demás.

EL DESARROLLO MOTOR

En el apartado de niños pequeños hablamos sobre la importancia del movimiento libre y autónomo para el desarrollo motor, la formación del esquema corporal y la seguridad básica. También el ambiente para los niños preescolares debe fomentar el movimiento libre. Esto significa que haya espacio suficiente para que se muevan con seguridad, jueguen en el piso, utilicen mesa para actividades de escritura, lleven los materiales de un lugar a otro, etcétera. En esta etapa hay que considerar que los niños van a definir claramente su lateralidad; es decir, si serán zurdos o diestros.
En este sentido, será necesario un ambiente que permita desarrollarse bien tanto a unos como a otros.

Cada vez más tendrán gusto por realizar actividades de coordinación fina (coordinación entre ojo y mano) como ensartar, colorear, coser, etcétera.

Las nociones de espacio y tiempo también se desarrollan a partir del propio cuerpo. Tienen cada vez mayor capacidad para ordenar sus movimientos de acuerdo con los espacios, las personas, los objetos que hay a su alrededor.

EL TRABAJO CON LA FAMILIA

Una meta muy importante de las estancias infantiles populares es lograr que exista congruencia entre el trabajo que en ellas se realiza y la educación que la familia desea para los niños.

Nos referimos a la familia y no sólo a los padres de los niños, porque en muchos casos éstos son atendidos una parte del tiempo por sus abuelos, los tíos, hermanos o algún otro familiar.

En el trabajo con la familia podemos realizar las siguientes actividades:

1. RELACIÓN COTIDIANA

Es la base para propiciar la confianza de la familia en las educadoras y en la Estancia. Para apoyar esta relación se deben mantener las siguientes actitudes:

- Aprovechar todo momento para platicar con los miembros de la familia que asisten a la Estancia, comentándoles lo que hizo la niña o el niño, preguntándoles si alguna conducta observada se presenta también en su hogar.
- Evitar dar quejas, esto molesta a la familia y a los niños; es mejor dar sugerencias.
- Estar abiertas para escuchar y apoyar a la familia, evitando dar consejos.
- Ser claras en los mensajes, cuidando no agredir con las palabras.
- Ser amables y atentas, tanto con la familia como con los niños, para favorecer su autoestima.

2. REUNIONES

Con ellas se favorece el intercambio y conocimiento entre las familias, la experiencia de compartir lo que saben y la vivencia de que «todos aprendemos de todos». A través de las reuniones las familias pueden consolidarse como grupo que aporta conocimientos, pues se busca que su participación sea activa en la elección de los temas que serán tratados, además de propiciar también la investigación como personas que conocen su comunidad y la cuestionan para transformarla. Las reuniones pueden ser por salón o en asamblea general. En ellas se deben tratar aspectos de interés para la Estancia, para las familias y para los niños.

En estas reuniones se pueden tratar temas como la salud, la historia de nuestra colonia, educación sexual, los derechos del niño, la autoestima, etcétera. Se organizan programándolas en los días y horas en que pueda asistir la mayoría.

Es importante que se planeen y practiquen con anticipación. Si ninguna persona del equipo de trabajo conoce bien el tema, es preferible que busquen a una persona que pueda coordinar o asesorar la reunión y resolver las dudas.

EJEMPLO DE PLANEACIÓN DE UNA REUNIÓN CON LAS FAMILIAS

TEMA: *Premios y castigos* **FECHA:** *15 de octubre de 1997*

NECESIDAD A LA QUE RESPONDE: *Preocupación de las familias por mejorar la disciplina en casa.*

OBJETIVO DE LA REUNIÓN: *Reflexionar junto con la familia sobre la manera en que se premia o castiga y encontrar alternativas que permitan mejorar la disciplina en casa.*

TIEMPO *¿Cuánto dura la actividad?*	**ACTIVIDAD** *¿Qué se quiere hacer?*	**DESARROLLO** *¿Cómo se va a hacer?*	**RESPONSABLE** *¿Quién lo coordina?*	**MATERIALES** *¿Con qué?*	**EVALUACIÓN** *¿Cómo resultó? (Se llena al final de la reunión)*
15 min.	Bienvenida	Se saluda al grupo y se comenta el objetivo de la reunión y de dónde surgió la necesidad. Se plantean las reglas para la reunión.	Lupe	Cartel de bienvenida	Se olvidó escribir en una lámina las reglas y se tuvieron que hacer en ese momento.
15 min.	Dinámica de presentación «Me pica aquí»	Sentados en círculo, se les explica que cada persona, en orden, de derecha a izquierda, se va a presentar tocándose una parte del cuerpo y diciendo «Me pica aquí», la segunda persona se presenta, diciendo el nombre del compañero o compañera que se acaba de presentar y el lugar donde le pica, para después presentarse y decir dónde le pica, así continúan hasta que todos se hayan presentado.	Tere	Ninguno	Buena participación, les gustó.

TIEMPO *¿Cuánto dura la actividad?*	ACTIVIDAD *¿Qué se quiere hacer?*	DESARROLLO *¿Cómo se va a hacer?*	RESPONSABLE *¿Quién lo coordina?*	MATERIALES *¿Con qué?*	EVALUACIÓN *¿Cómo resultó? (Se llena al final de la reunión)*
30 min.	Reflexión: «qué entendemos por premios y castigos»	En grupos pequeños describen qué es un castigo y qué es un premio, y cuáles conocen, escribiendo en un papel lo que vayan diciendo.	Juana	Papel para rotafolio, marcadores o plumones.	Les costó un poco de trabajo empezar, pero después todos participan.
30 min.	Plenaria. De qué manera afectan estos premios y castigos a los niños y qué podemos hacer para evitarlos.	Se colocan los papelográfos al frente y se van haciendo comentarios al respecto. En otro papel se van escribiendo las sugerencias.	Mara	Papel y marcadores.	Buena participación.
30 min.	Evaluación de la reunión.	Los presentes van a contestar a las siguientes preguntas: cómo me sentí en la reunión, qué aprendí, qué dudas me quedaron, qué me gustó y qué no me gustó, y sus sugerencias.	Lupe	Hojas para rotafolio con las preguntas: cómo me sentí, qué aprendí, qué dudas me quedaron, qué me gustó, qué no me gustó, y sugerencias y marcadores.	Quedaron dudas por aclarar, por ejemplo: con los bebés cómo se maneja la disciplina, cómo apoyarlos para mejorar la autoestima, etcétera.

3. PRESENCIA DE LA FAMILIA EN LA ESTANCIA

La familia puede participar directamente en el trabajo que se realiza en la Estancia para favorecer el acercamiento y el apoyo mutuo.

a. Observando el trabajo de niños, niñas y educadoras

Se deben planear esas visitas, de común acuerdo con la familia, para que se realicen en días y horas adecuados para ellos y para la Estancia, y así lograr que todos puedan asistir por lo menos una vez al año.

Por medio de la observación, la familia puede ver cómo se desenvuelven niños y niñas, qué hacen, cómo viven los valores de cooperación, tolerancia, autoestima y respeto a sus derechos.

b. Compartiendo conocimientos y afecto

Pide a algún padre, madre o familiar de los niños que vaya a la Estancia para realizar alguna actividad con los niños, por ejemplo: pueden enseñar algo de su oficio o profesión, contar sobre las costumbres de su pueblo o comunidad; enseñarles alguna habilidad que tengan, como tejer, hacer tortillas, usar el serrote, arrullar a los pequeños, contarles un cuento, cantarles. Todo esto ayuda a reconocer el valor de la familia y la comunidad.

c. Coordinando los festejos y celebraciones

Las festividades permiten rescatar costumbres y creencias, cuando se hacen de acuerdo con lo que la comunidad y los padres quieren celebrar y cómo lo celebran.

También son una oportunidad para que las familias y los niños reflexionen y se cuestionen el modo de celebrarlas, de manera que poco a poco vayan siendo capaces de modificar las formas impuestas por la sociedad de consumo por otras con mayor significado.

Pueden celebrar algunas fechas importantes para las familias, para la comunidad o para los niños, como el aniversario de la Estancia o la fiesta de la comunidad, el día de la mujer, etcétera.

4. VISITAS

Otra manera de acercarnos a la familia y a la comunidad son las visitas. Por ejemplo:

a. Las educadoras visitan las casas

Las educadoras pueden visitar las casas cuando hay un acontecimiento significativo, cuando se desea información sobre algún aspecto del desarrollo del niño; para saber por qué ha faltado a la Estancia, para comentar algún asunto importante sobre el desempeño del niño.

b. Los niños visitan las casas

Pueden hacer visitas con el grupo a la casa de algún niño, para que el papá o la mamá les enseñen su oficio o alguna actividad que sepan hacer, para que los niños conozcan al hermanito que acaba de nacer, para conocer las casas de los compañeros.

Existen muchas otras formas de mantener la comunicación con las familias de los niños y lograr su participación activa en la Estancia.

Seguramente se les ocurrirán otras, pero lo importante es que las realicen con respeto, cordialidad y con base en los objetivos del plan de trabajo.*

* Para mayor información al respecto, pueden consultar la bibliografía, al final de esta obra.

EL SEGUIMIENTO DE LOS NIÑOS Y LA EVALUACIÓN DEL PROCESO EDUCATIVO

En el trabajo diario es muy importante revisar constantemente lo que hacemos y cómo lo hacemos. Necesitamos saber si estamos logrando lo que nos planteamos en las actividades generales y con cada uno de los niños en particular. Esto nos llevará a reforzar o corregir aquellos puntos del proceso que no nos estén ayudando a lograr los objetivos y metas.

El **seguimiento** significa estar cerca, estar pendiente de lo que pasa en el grupo de educadoras, con los niños, con las familias, en el ambiente, etcétera. Para hacer el seguimiento necesitamos una observación constante que nos dará los datos para valorar nuestra práctica.

La **evaluación** nos permite revisar y analizar lo que hacemos para identificar y valorar (no para calificar) los logros, los errores, las dificultades, las necesidades. Su propósito es ayudar a mejorar las actividades, reforzando, cambiando o incorporando lo que se considere necesario.

Primero, en el trabajo de todos los días, por medio de la observación, vamos juntando los datos que necesitamos.

2

Segundo, anotamos los datos en hojas especiales, llamadas fichas, para no olvidar nada y para no hacer juicios antes de tiempo.

Tercero, cada educadora analiza estos datos y llena su ficha de autoevaluación.

Cuarto, nos proponemos como meta trabajar a corto plazo las dificultades que logramos ver. Para ello, al final del año escolar, se llena en grupo una ficha general.

2. ¿CON QUÉ INSTRUMENTOS CONTAMOS?

Para el seguimiento y la evaluación de los niños y sus familias tenemos las siguientes fichas:

1. Ficha de datos personales
2. Ficha de control de salud
3. Ficha de asistencia
4. Ficha de evaluación para niños preescolares
5. Ficha de observación individual
6. Ficha de observación para familias

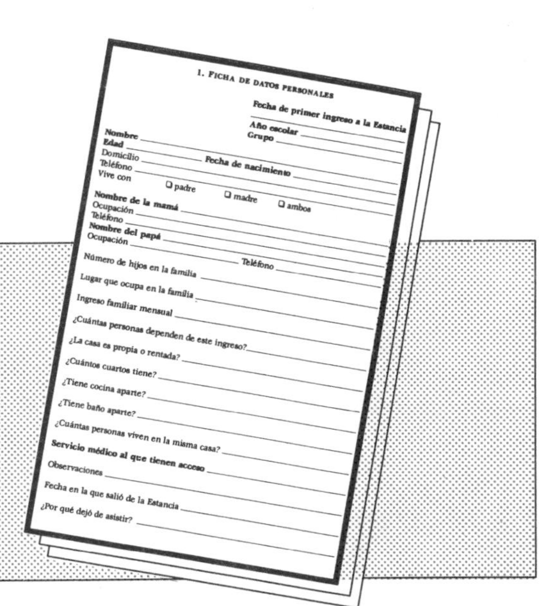

1. FICHA DE DATOS PERSONALES

Fecha de primer ingreso a la Estancia ____
Año escolar ____
Grupo ____
Nombre ____
Edad ____
Domicilio ____ Fecha de nacimiento ____
Teléfono ____
Vive con ❑ padre ❑ madre ❑ ambos
Nombre de la mamá ____
Ocupación ____
Teléfono ____
Nombre del papá ____
Ocupación ____ Teléfono ____
Número de hijos en la familia ____
Lugar que ocupa en la familia ____
Ingreso familiar mensual ____
¿Cuántas personas dependen de este ingreso? ____
¿La casa es propia o rentada? ____
¿Cuántos cuartos tiene? ____
¿Tiene cocina aparte? ____
¿Tiene baño aparte? ____
¿Cuántas personas viven en la misma casa? ____
Servicio médico al que tienen acceso ____
Observaciones ____
Fecha en la que salió de la Estancia ____
¿Por qué dejó de asistir? ____

Cada educadora va llenando sus fichas durante el semestre, en el transcurso del trabajo

Para cada niño, debemos tener todas estas fichas, que se guardan juntas en un mismo sobre o mica.

Para el seguimiento y la evaluación de las educadoras tenemos las siguientes fichas:

7. Ficha de observación para visitantes externos
8. Ficha para el trabajo sobre temas
9. Ficha de control de estímulos para las educadoras
10. Ficha de autoevaluación para las educadoras
11. Ficha de alimentación

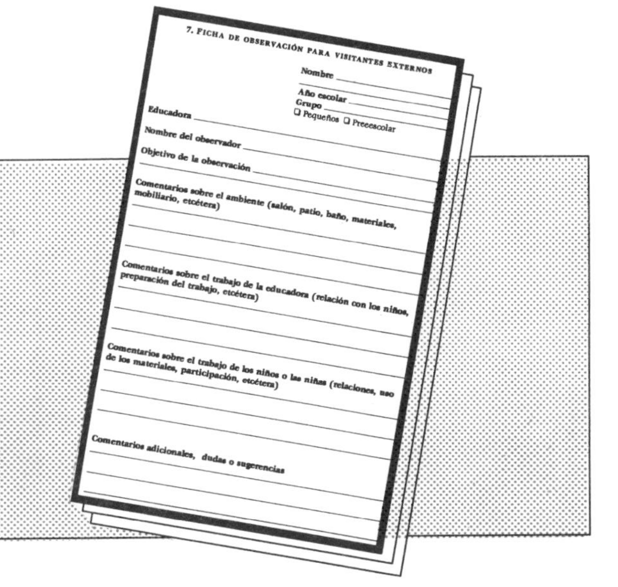

7. FICHA DE OBSERVACIÓN PARA VISITANTES EXTERNOS

Nombre ____
Año escolar ____
Grupo ____
❑ Pequeños ❑ Preescolar
Educadora ____
Nombre del observador ____
Objetivo de la observación ____
Comentarios sobre el ambiente (salón, patio, baño, materiales, mobiliario, etcétera)
Comentarios sobre el trabajo de la educadora (relación con los niños, preparación del trabajo, etcétera)
Comentarios sobre el trabajo de los niños o las niñas (relaciones, uso de los materiales, participación, etcétera)
Comentarios adicionales, dudas o sugerencias

Cada educadora va llenando sus fichas durante el semestre, en el transcurso del trabajo

Cada educadora debe guardar juntas todas sus fichas en un mismo sobre o mica.

Para el seguimiento y la evaluación de los aspectos administrativos tenemos las siguientes fichas:

12. Ficha de ingresos y egresos
13. Ficha de mantenimiento

12. FICHA DE INGRESOS Y GASTOS

Concepto	Ingresos	Gastos	Diferencia ingresos-gastos
Totales			

Se llenan en grupo, semestralmente

A continuación mostramos la descripción de cada una de las fichas.

En los apéndices se reproducen los modelos para facilitar tu trabajo.

1. Ficha de datos personales

Es útil para tener a mano todos los datos personales del niño y dónde localizar a su familia en caso de una emergencia. También en ella vamos concentrando, a lo largo del año escolar, datos significativos acerca del niño y su familia que nos permitan entender su comportamiento y proporcionarle el apoyo que requiera.

Esta ficha se debe comenzar a llenar en el momento en que el niño ingresa a la Estancia.

1. Ficha de datos personales

Fecha de primer ingreso a la Estancia ____________

Año escolar ____________
Grupo ____________

Nombre ____________
Edad ____________ **Fecha de nacimiento** ____________
Domicilio ____________
Teléfono ____________
Vive con ❑ padre ❑ madre ❑ ambos

Nombre de la mamá ____________
Ocupación ____________
Teléfono ____________
Nombre del papá ____________
Ocupación ____________ Teléfono ____________

Número de hijos en la familia ____________

Lugar que ocupa en la familia ____________

Ingreso familiar mensual ____________

¿Cuántas personas dependen de este ingreso? ____________

¿La casa es propia o rentada? ____________

¿Cuántos cuartos tiene? ____________

¿Tiene cocina aparte? ____________

¿Tiene baño aparte? ____________

¿Cuántas personas viven en la misma casa? ____________

Servicio médico al que tienen acceso ____________

Observaciones ____________

Fecha en la que salió de la Estancia ____________

¿Por qué dejó de asistir? ____________

2. Ficha de control de salud

Ésta nos sirve para conocer su historia de salud y vigilar su desarrollo físico, peso, talla, vacunación, etcétera. Se debe comenzar a llenar junto con la ficha de datos personales de cada niño.

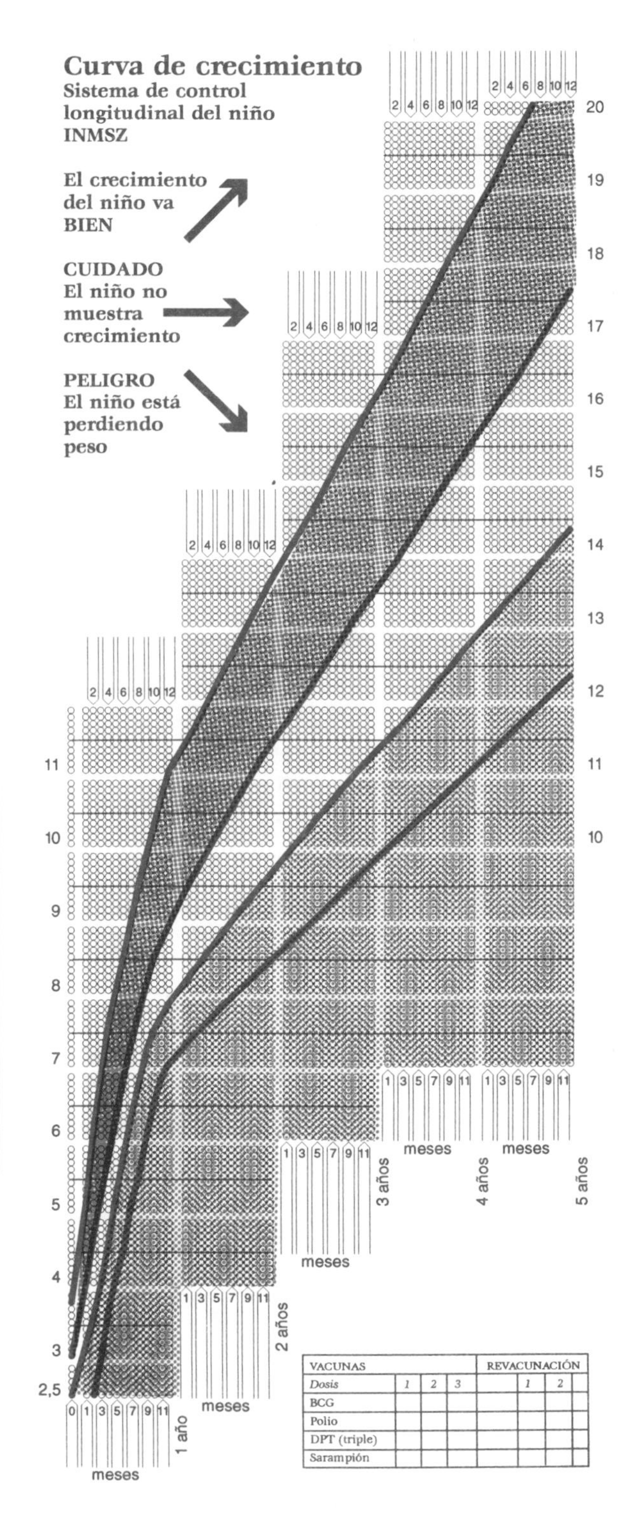

VACUNAS				REVACUNACIÓN	
Dosis	1	2	3	1	2
BCG					
Polio					
DPT (triple)					
Sarampión					

3. Ficha de asistencia

Nos puede servir para estar cerca de la familia y del niño cada vez que éste se ausenta de la Estancia sin previo aviso. Puede ser de mucha ayuda en las pláticas de evaluación que realicemos con la familia. Debe llenarse diariamente, por la educadora o por los niños.

Recomendamos hacer la lista de los niños con letra grande y clara, y cambiar cada semana la hoja de control correspondiente a los días.

3. FICHA DE ASISTENCIA

Mes ____________________

Semana *Nombres*	Lunes	Martes	Miércoles	Jueves	Viernes

4. Ficha de evaluación para niñas y niños preescolares

Esta evaluación nos sirve para conocer las preferencias de los niños y para propiciar su desarrollo integral, invitándolos a participar y utilizar todos los espacios de trabajo. También puede ser útil para comentar con la familia sobre su desempeño general.

En la ficha se anotan los datos más relevantes de la acción de los niños en cada espacio de trabajo.

Debe llenarse cada dos meses, de manera que los datos nos sirvan para hacer un seguimiento cercano y, cuando sea necesario, dar una ayuda especial.

4. FICHA DE EVALUACIÓN PARA NIÑOS Y NIÑAS PREESCOLARES

Fecha de primer ingreso a la Estancia ____________________

Año escolar ____________________

Grupo ____________________

Evaluaciones

Espacios	Octubre	Diciembre	Febrero	Abril	Junio
Biblioteca					
Taller de Artes					
Taller de Ciencias					
Casa y Comunidad					

5. Ficha de observación individual

En esta ficha se anotan únicamente los datos relevantes que observamos, pero sin hacer juicios. En otro momento, los datos de esta ficha se usarán, con el grupo de educadoras y con su familia, para reflexionar acerca del niño, de su desarrollo, de sus actitudes, de sus logros y dificultades.

Debe llenarse por lo menos cuatro veces al año.

6. Ficha de observación para familias

Debe llenarse por lo menos dos veces al año. Aquí las familias anotan lo que han observado el día en que están de visita en la Estancia para ver el trabajo de sus hijos. Esta ficha sirve tanto para el seguimiento del niño como para el de la educadora, y se analiza con los padres en la plática de evaluación de cada niño.

5. FICHA DE OBSERVACIÓN INDIVIDUAL

Fecha de primer ingreso a la Estancia ______
Año escolar ______
Grupo ______

Fecha	Observación

6. FICHA DE OBSERVACIÓN PARA FAMILIAS

Fecha de primer ingreso a la Estancia ______
Año escolar ______
Grupo ______

Nombre del niño o niña ______

Nombre del observador ______

Parentesco con el niño o niña ______

Comentarios sobre el salón, el patio, los materiales

Comentarios sobre el trabajo de la educadora

Comentarios sobre el trabajo del niño o la niña

Alguna duda o sugerencia

7. Ficha de observación para visitantes externos

Sirve para tener los puntos de vista, comentarios, sugerencias y críticas externas que pueden ser de utilidad para la evaluación general del año escolar.

Esta ficha la llena cada una de las visitas externas que llegue a observar el trabajo de la Estancia.

8. Ficha para el trabajo sobre temas

Se prepara una ficha para cada día de trabajo. Debe llenarse una semana antes de la realización del trabajo de grupo. Sirve para preparar, realizar y evaluar el trabajo de grupo para los niños pequeños y preescolares.

7. FICHA DE OBSERVACIÓN PARA VISITANTES EXTERNOS

Nombre ____________________

____

Año escolar ____________________

Grupo ____________________

❑ Pequeños ❑ Preeescolar

Educadora ____________________

Nombre del observador ____________________

Objetivo de la observación ____________________

____

Comentarios sobre el ambiente (salón, patio, baño, materiales, mobiliario, etcétera)

____

____

____

Comentarios sobre el trabajo de la educadora (relación con los niños, preparación del trabajo, etcétera)

____

____

____

Comentarios sobre el trabajo de los niños o las niñas (relaciones, uso de los materiales, participación, etcétera)

____

____

____

Comentarios adicionales, dudas o sugerencias

____

____

____

8. FICHA PARA EL TRABAJO SOBRE TEMAS

Educadora ____________________

Espacio de trabajo ____________________ Fecha ____________________

Grupo ____________________ Duración ____________________

Tiempo	Actividades	Técnicas	Materiales	Evaluación y sugerencias

9. Ficha de control de estímulos

Esta ficha se llena al inicio del año escolar, cada vez que se hace una revisión general del material del ambiente (cuando menos cada dos meses) y en las capacitaciones. Sirve para tener presente cuáles estímulos conocemos y manejamos, cuáles están en el ambiente, cuáles hay que reparar. Esta ficha se puede utilizar para la autoevaluación de las educadoras y en la evaluación general del año escolar.

10. Ficha de autoevaluación para las educadoras

Nos sirve para darnos cuenta de nuestros aciertos y señalar cómo y en cuánto tiempo iremos cubriendo los aspectos que nos faltan.

Antes de llenar esta ficha es necesario hacer una revisión grupal de las fichas que se han completado durante el año.

Esta ficha se llena dos veces en el año escolar, una vez a la mitad del ciclo y otra al final.

9. Ficha de control de estímulos

Educadora ______

Grupo ______ Fecha ______

Estímulo	Lo conozco	Lo tengo	Tengo variaciones	Tengo repuestos	Requiere mantenimiento

10. Ficha de autoevaluación

Nombre ______

Año escolar ______

Grupo ______

Ambiente

Salón ______
Materiales ______
Adornos ______
Mobiliario ______
Patio ______
Juguetes ______
Comedor ______
Cocina ______
Utensilios ______

¿En qué puedo mejorar? ______

¿En cuánto tiempo? ______

Trabajo y relación con los niños y las niñas

Momentos que más me gustan ______
Momentos que menos me gustan ______
Momentos que preparo más ______
Momentos que preparo menos ______
Dificultades con los niños ______

¿En qué puedo mejorar? ______

¿En cuánto tiempo? ______

Trabajo y relación con las familias

La visito cuando falta un niño ______
La entrevisto por lo menos dos veces al año ______
Cuando faltan a las actividades familiares platico con ellas ______
Cómo es mi relación cotidiana con ellas ______

¿En qué puedo mejorar? ______

¿En cuánto tiempo? ______

11. Ficha de alimentación

Es útil para valorar los menús y la manera en que se preparan y presentan los alimentos. Cada educadora debe llenarla una vez al mes y entregarla a la encargada de la cocina.

11. Ficha de alimentación

Los menús

• Se preparan con anterioridad	❑ Sí	❑ No
• Están balanceados	❑ Sí	❑ No
• Son variados	❑ Sí	❑ No
• Se presentan de manera atractiva	❑ Sí	❑ No
• Les gustan a los niños	❑ Sí	❑ No
• Les gustan a las educadoras	❑ Sí	❑ No
• Se informa diariamente a los familiares	❑ Sí	❑ No

Sugerencias

____

____

____

____

____

____

____

____

____

12. Ficha de ingresos y gastos

Sirve para valorar la manera en que se están repartiendo los gastos.

12. Ficha de ingresos y gastos

Concepto	Ingresos	Gastos	Diferencia ingresos-gastos
Totales			

13. Ficha de mantenimiento

Nos sirve para conservar los equipos, instalaciones y mobiliario en buen estado y señalar cómo y en cuánto tiempo iremos reparando los aspectos que nos faltan.

13. Ficha de mantenimiento

Concepto	Tenemos	Necesitamos	Fecha de mantenimiento o reparación
Salones Mobiliario Papelería Adornos Instalaciones			
Cocina Utensilios Aparatos Mobiliario Instalaciones			
Baños Instalaciones Accesorios Mobiliario			
Patios Juguetes Instalaciones Mobiliario			
Otros Oficina Dormitorio Recibidor Etcétera			

LA NUTRICIÓN EN LA ESTANCIA

Ofrecer una alimentación adecuada es una de las funciones más importantes que realiza una Estancia de Educación Integral Popular, ya que de ésta depende, en gran medida, el correcto desarrollo físico de los niños y las niñas. Precisamente dentro de la Estancia los niños toman la mayor parte de los alimentos que consumen durante la semana; por esto es de gran importancia ofrecérselos en calidad y cantidad suficientes.

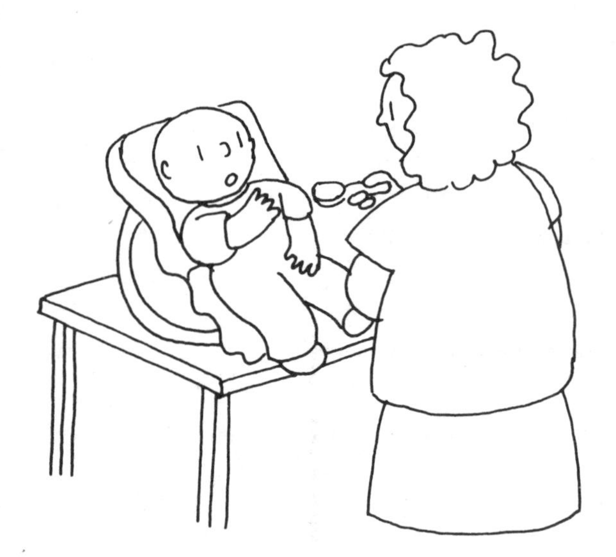

1. LOS ALIMENTOS QUE NECESITAMOS CONSUMIR

Para una buena nutrición se requiere consumir alimentos que contengan:

Proteínas. Constituyen la sustancia misma de la célula, proporcionan resistencia y elasticidad. Están muy ligadas a los procesos de reproducción y crecimiento celular.

Las proteínas de mayor calidad para el consumo humano son las que se encuentran en el huevo y en la leche. Todas las demás fuentes de proteínas deben complementarse para obtener una de buena calidad, por ejemplo mezclando cereales y leguminosas.

Las proteínas las encontramos en las leguminosas, los cereales, la leche, el huevo, las semillas, las carnes.

Carbohidratos. Son el combustible para el organismo, es decir, alimentos que nos permiten realizar nuestras funciones.

Todos los carbohidratos (azúcares y almidones) que necesitamos se encuentran en las frutas, las verduras y los cereales, excepto la lactosa, que se encuentra en la leche.

Grasas. Son, igual que los carbohidratos, el combustible para el organismo, sólo que más concentrado.

Las grasas las podemos obtener de las semillas, de los productos lácteos y del huevo.

Vitaminas y minerales. Son necesarios para el crecimiento, el mantenimiento de la salud y para la reproducción.

Las vitaminas y minerales los encontramos en frutas y verduras, muchas de ellas principalmente en los vegetales de hojas verdes, en los granos integrales y en los aceites y productos lácteos.

¿CÓMO SE COMBINAN ESTOS ALIMENTOS?

Los carbohidratos deben proporcionar aproximadamente 60% de las calorías de un día, la proteína, 20%, la grasa, 20%.

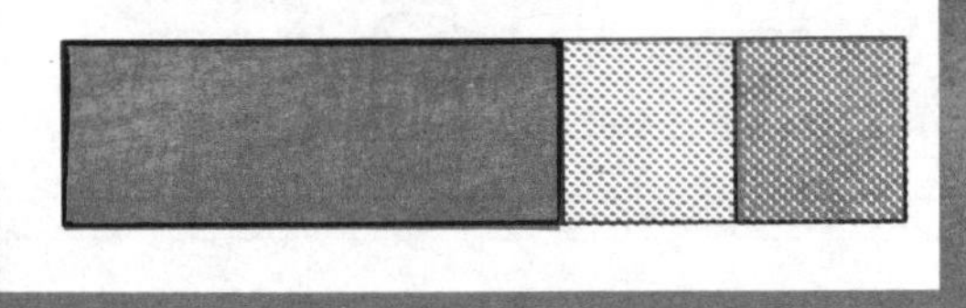

SUGERENCIAS GENERALES

- Es importante que los alimentos se presenten en forma agradable a la vista, tacto y olfato de los niños.
- Deben presentarse en trozos pequeños, de manera que les sea fácil partirlos y masticarlos.
- Servirles pequeñas cantidades, de manera que siempre consuman íntegramente lo que está en su plato. Si desean comer más, se les sirve nuevamente una ración pequeña.
- Apelar a su inteligencia, a fin de que sepan lo importante que es comer bien, para qué sirve cada alimento, etcétera.
- Servirles siempre variedad de alimentos durante la semana, aunque en la misma comida es mejor poca variedad, para facilitar la digestión.
- Comer en un ambiente de tranquilidad, de armonía, de convivencia. No regañarlos mientras comen.
- Si alguno no quiere comer, acercarse a él, ver qué le sucede y ser tolerante y comprensiva, sin acceder a todos sus caprichos.
- Los alimentos no deben estar muy calientes.
- Se debe usar poco condimento.
- Ofrecer siempre alimentos muy frescos.
- Ofrecer abundantes alimentos crudos.
- Ofrecer cereales integrales en la medida de lo posible.
- Fruta y verdura con cáscara, siempre que sea posible.
- No dar alimentos enlatados ni industrializados, en la medida de lo posible.
- Usar pocas grasas para freír.
- No combinar frutas ácidas con frutas dulces.

2. MENÚS PARA DOS SEMANAS

Para niños y niñas del salón de Pequeños 1:

Para estos niños es recomendable que sus familias envíen desde su casa los alimentos que van a consumir durante el día. Si esto no es posible, al menos es de primordial importancia que envíen la leche, de manera que no haya peligro de contaminación o de que les caiga mal.

Si deciden preparar los alimentos para estos niños, comiencen ofreciendo en cada comida un solo alimento, de manera que puedan identificar cómo le cae a cada uno de los niños y favorecer la aceptación por parte de él. Todos los alimentos se deben ofrecer en forma de papilla, elaboradas a base de frutas de temporada, verduras, cereales y leguminosas, según la producción local y eventualmente alguna carne blanca. La consistencia de la papilla y la cantidad que se le ofrezca dependerán de la edad y aceptación por parte del niño.

PRIMERA SEMANA

	Día 1	*Día 2*	*Día 3*	*Día 4*	*Día 5*
Desayuno	• Leche • Papilla de arroz integral	• Leche • Papilla de trigo integral	• Leche • Yema de huevo cocido	• Leche • Papilla de cebada	• Leche • Papilla de avena
Colación matutina	• Leche • Papilla de manzana	• Leche • Papilla de plátano	• Leche • Papilla de fruta combinada	• Leche • Papilla de plátano	• Leche • Papilla de fruta combinada
Comida	• Leche • Papilla de lenteja con arroz, espinaca y calabacita	• Leche • Papilla de pollo con verdura	• Leche • Papilla de garbanzo con zanahoria	• Leche • Papilla de pollo con verdura	• Leche • Papilla de frijol con arroz y verdura
Colación vespertina	• Leche • Papilla de zanahoria	• Leche • Papilla de chayote	• Leche • Papilla de calabaza	• Leche • Papilla de papa y ejote	• Leche • Papilla de chícharo

SEGUNDA SEMANA

	Día 6	*Día 7*	*Día 8*	*Día 9*	*Día 10*
Desayuno	• Leche • Papilla de cebada con arroz integral	• Leche • Yema de huevo cocido	• Leche • Papilla de avena con trigo integral	• Leche • Papilla de amaranto	• Leche • Papilla de arroz integral
Colación matutina	• Leche • Papilla de pera	• Leche • Papilla de fruta combinada	• Leche • Papilla de papaya	• Leche • Papilla de fruta combinada	• Leche • Papilla de mango
Comida	• Leche • Papilla de alubia con arroz y espinaca	• Leche • Papilla de frijol con elote y calabacitas	• Leche • Papilla de pollo con zanahoria	• Leche • Papilla de habas con elote y chayote	• Leche • Papilla de lenteja con trigo y ejotes
Colación vespertina	• Leche • Papilla de elote	• Leche • Papilla de habas	• Leche • Papilla de jitomate	• Leche • Papilla de espinaca	• Leche • Papilla de calabacita

Para niños y niñas de los salones de Pequeños 2, Pequeños 3 y Preescolar:

Estos niños ya deben consumir prácticamente los mismos alimentos que los adultos de la comunidad, excepto por los picantes, condimentos y grasas. De cualquier manera, se debe prestar atención a las reacciones de los niños ante los alimentos, cuidando de darlos en raciones adecuadas y con la suficiente variedad.

PRIMERA SEMANA

	Día 1	*Día 2*	*Día 3*	*Día 4*	*Día 5*
Desayuno	• Un vaso pequeño de jugo de naranja • Huevo revuelto con jitomate • Tortilla • Leche	• Una porción pequeña de fruta de la estación • Galleta de avena integral • Leche	• Un vaso pequeño de jugo de piña • Quesadilla con queso panela y aguacate • Leche	• Una porción pequeña de fruta de la estación • Cereal de arroz • Leche	• Un vaso pequeño de jugo de naranja • Huevo cocido • Tortilla • Leche
Colación matutina	• Fruta de la estación • Alegría de amaranto	• Zanahoria cruda rallada • Palomitas de maíz	• Fruta de la estación • Galleta de salvado	• Pepino crudo rebanado • Rebanada de queso panela o Oaxaca con pasitas	• Fruta de la estación • Galleta de avena
Comida	• Ensalada de lechuga y jitomate • Sopa de lentejas • Croqueta de arroz integral	• Ensalada de germinado de alfalfa • Sopa de cebada perla con verduras • Guisado de papas, hongos y verdolagas	• Ensalada de jitomate • Sopa de garbanzo • Guisado de calabacitas con elote	• Ensalada de espinaca cruda • Sopa de verduras con germinado de soya • Croqueta de amaranto con zanahoria rallada	• Ensalada de betabel • Sopa de haba • Cazuela de verdura • Tortillas
Colación vespertina	• Quesadilla con queso panela o Oaxaca • Fruta de la estación	• Sándwich de frijoles con pan integral • Fruta de la estación	• Yoghurt • Fruta de la estación	• Sándwich de queso panela o Oaxaca con pan integral • Fruta de la estación	• Tostada con frijol y queso rallado • Fruta de la estación

SEGUNDA SEMANA

	Día 6	*Día 7*	*Día 8*	*Día 9*	*Día 10*
Desayuno	• Un vaso pequeño de jugo de naranja • Hot cakes de harina integral con miel de abeja • Leche	• Porción pequeña de fruta de la estación • Enfrijoladas con queso panela • Leche	• Un vaso pequeño de jugo de piña • Huevo revuelto con ejotes • Tortilla • Leche	• Porción pequeña de fruta de la estación • Cereal de avena • Leche	• Un vaso pequeño de jugo de toronja • Tortillas entomatadas con queso panela
Colación matutina	• Jícama cruda • Galleta integral con cajeta	• Fruta de la estación • Palanqueta de cacahuate	• Betabel crudo rallado • Galleta de harina de maíz	• Fruta de la estación • Pan integral con crema de cacahuate	• Fruta de la estación • Alegría de amaranto
Comida	• Ensalada de pepino • Sopa de jitomate • Pollo con verduras	• Ensalada de zanahoria • Sopa de verdura con germinado de trigo y soya • Guisado de nopales con papa	• Ensalada de calabaza cruda • Sopa de chícharo • Chayotes con queso	• Ensalada de jícama • Sopa de habas • Tortitas de avena	• Ensalada de lechuga y zanahoria • Sopa de pasta con germinado de trigo • Soya con verduras
Colación vespertina	• Sándwich de queso con germinado • Fruta de la estación	• Yoghurt con cereal • Fruta de la estación	• Sopes con frijol y queso • Fruta de la estación	• Tostada con frijol, queso y jitomate • Fruta de la estación	• Sándwich de frijol con queso • Fruta de la estación

BIBLIOGRAFÍA Y LECTURAS SUGERIDAS

OBRAS CONSULTADAS

ANDERÑEGG, EZEQUIEL, *Metodología del trabajo social*, El Ateneo, Barcelona, 1982.

COLECTIVO MEXICANO DE APOYO A LA NIÑEZ, *Los niños del otro México / Tercer informe sobre los derechos del niño y la situación de la infancia en México*, Comexani, México, 1995.

CHOKLER, MYRTHA HEBE, *Los organizadores del desarrollo psicomotor / Del mecanicismo a la psicomotricidad operativa*, Ediciones Cinco, Buenos Aires, 1988.

DAVID, MYRIAM, Y GENEVIEVE APPEL, *La educación del niño de 0 a 3 años / Experiencia del Instituto Loczy*, Narcea S.A. de Ediciones, colección Primeros Años, Madrid, 1986.

EDUCACIÓN INTEGRAL POPULAR, A.C., *Memorias, 1973-1978*, EIP, mimeografiado, México, 1980.

____, Documentos varios de investigación para uso interno, México, 1973-1995.

FUNDACIÓN VAN LEER, *Involucrando a la familia*, Boletín Informativo, núm. 3, marzo de 1989, pp. 1-10.

HAEUSSLER, ISABEL, Y NEVA MILICIC, *Confiar en uno mismo: Programa de autoestima*, libro del profesor y libro de actividades, Dolmen Ediciones, Santiago de Chile, 1987.

LABINOWICZ, ED, *Introducción a Piaget / Pensamiento, aprendizaje, enseñanza*, Addison-Wesley Iberoamericana, Wilmington, 1987.

LINARES, MARÍA EUGENIA, *Del hecho al dicho hay menos trecho/¿Qué hemos aprendido en los programas de apoyo a la familia para la crianza de los niños?*, Centro de Estudios Educativos, México, 1992.

MAIER, HENRY, *Tres teorías sobre el desarrollo del niño: Erikson, Piaget y Sears*, Amorrortu Editores, Buenos Aires, 1979.

MSLE, ÓSCAR, y FERNANDO PEREIRA, *Atendamos a nuestros niños con la participación de la comunidad.* Cecodap, Papagayo, Caracas, 1992.

MYERS, ROBERT, *Los doce que sobreviven / Fortalecimiento de los programas de desarrollo para la primera infancia en el Tercer Mundo*, Organización Panamericana de la Salud y Fondo de las Naciones Unidas para la Infancia, Santa Fe de Bogotá, 1993.

NUEVOS ESPACIOS EDUCATIVOS, Documentos varios de investigación para uso interno, México, 1973-1995.

PICKLER, EMMI, *Moverse en libertad / Desarrollo de la motricidad global*, Narcea S.A. de Ediciones, colección Primeros Años, Madrid, 1985.

PÉREZ ALARCÓN, JORGE, *y otros, Nezahualpilli, educación preescolar comunitaria*, Centro de Estudios Educativos, México, 1991.

SISTEMA NACIONAL DE SALUD-UNICEF, *Manual del vacunador*, México, s/f.

ZUKUNFT-HUBER, BÁRBARA, *Gimnasia para bebés / Juegos y ejercicios para fomentar el movimiento*, Editorial Paidotribo, Barcelona, 1993.

Para derechos humanos

ABIEGA, LOLA, *et al.*, *Uno, dos, tres por mí, por ti, por todos... / Los derechos humanos de los niños y las niñas*, Comexani, México, 1995.

HAEUSSLER, ISABEL, Y NEVA MILICIC, *Confiar en uno mismo: Programa de autoestima*, libro del profesor y libro de actividades, Dolmen Ediciones, Santiago de Chile, 1987.

LIMPENS, FRANS, ANA MURRIETA Y CRISTINA GÓMEZ, *La zanahoria*, Amnistía Internacional, México, 1996.

Para juegos de grupo

CASCÓN, PACO, *La alternativa del juego*, dos tomos, Universidad Autónoma de Aguascalientes, Aguascalientes, 1996.

CONAFE, *Así cuentan y juegan en el sur de Jalisco*, Conafe, México, 1988.

———, *¿A qué jugamos?*, Conafe, México, 1989.

UNICEF, *A la rueda rueda / Juegos tradicionales latinoamericanos*, Unicef, México, 1988.

Para jugar y trabajar en el salón

ABIEGA, LOLA, *Jugando en los rincones*, números 1 al 3, ed. de autora, México, 1990.

ARENZANA, ANA, *Espacios de lectura*, Conaculta, México, 1993.

EDUCACIÓN INTEGRAL POPULAR, A.C., *Juegos, juguetes y estímulos creativos*, Números 1 al 4, EIP, México, 1987.

———, *Cantos, niños y rayones / Desde el aire hasta el papel*, libro y cassette, EIP, México, 1986.

MAJCHRZAK, IRENA, *Ejercicios de lectoescritura / Alfabetización a partir del nombre propio*, Instituto de Cultura de Tabasco, Villahermosa, 1987.

SASTRÍAS DE PORCEL, MARTHA, *Cómo motivar a los niños a leer*, Editorial Pax, México, 1992.

Para leer y contar cuentos

VARIOS AUTORES, libros de las series Literatura Infantil, Para Empezar y Leer, y Libros de Pocas Letras, CONAFE-SEP, México.

———, Colección Libros del Rincón, Varios coeditores-SEP, México.

———, Colección Leyendas griegas, Cuentos del Abuelo y Tradicionales Infantiles, Ed. Trillas, México.

Para cantar

CRI CRI, Francisco Gabilondo, discos y cassettes varios, México.

GRUPO PRO MÚSICA DE ROSARIO, discos y cassettes, Buenos Aires.

HERMANOS RINCÓN, discos y cassettes, México.

HERNÁNDEZ, MARUCA, *Jugando con las canciones*, México, 1995.

VARIOS AUTORES, *Naranja dulce, limón partido,* libro y cassette, El Colegio de México, México, 1982.

WALSH, MARÍA ELENA, discos y cassettes, Buenos Aires.

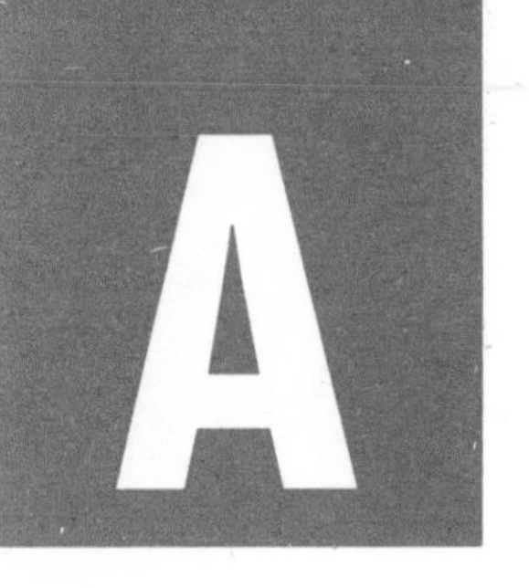

ANEXOS

Investigación preliminar

Fichas de evaluación y seguimiento

1

Anexo 1. *Investigación preliminar*
PROGRAMA DE TRABAJO

***a.* Título del proyecto** ■ __________

***b.* Antecedentes** ■ __________

***c.* Fundamentación** ■ __________

***d.* Localización física** ■ __________

***e.* Objetivos generales**
- ■ __________
- ■ __________

***f.* Metas**
- ■ __________
- ■ __________
- ■ __________
- ■ __________

***g.* Metodología y técnicas** ■ *Sistema de Educación Integral Popular*

***h.* Actividades** ■

Actividades	*Objetivos específicos*	*Metas específicas*	*Tareas*	*Recursos*	*Tiempo*	*Responsable*

2

Anexo 2. *Investigación preliminar*
OBSERVACIÓN DEL AMBIENTE FíSICO

Observadores: ______________________________
Fecha: ______________________________

1. Ubicación
a) Ciudad: ______________________________
b) Colonia: ______________________________
c) Delegación o municipio: ______________________________
d) Medio: Rural ❑ Suburbano ❑ Urbano ❑
e) Colindancias
Al norte: ______________________________
Al sur: ______________________________
Al este: ______________________________
Al oeste: ______________________________

2. Medios de transporte para llegar:

____

3. Clima:

____

4. Flora:

____

5. Fauna:

____

6. Tipo de suelo:

____

7. Características propias del lugar:

____

8. Población:

____

9. Servicios con los que cuenta:
a) agua potable ❑ *b)* luz ❑ *c)* drenaje ❑ *d)* pavimentación ❑ *e)* teléfono ❑
f) mercados establecidos ❑ *g)* correo ❑ *h)* telégrafo ❑ *i)* servicio de limpia ❑
j) vigilancia ❑ *k)* estación de bomberos ❑ otros: ______________________________

10. Instituciones públicas:
a) número de escuelas: jardín de niños ❑ primaria ❑ secundaria ❑
preparatoria ❑ técnica ❑ profesional ❑ otras: ______________________________
b) casas de cultura ❑ *c)* bibliotecas ❑ *d)* centros deportivos ❑ *e)* zonas recreativas ❑ *f)* hospitales ❑ *g)* albergues ❑ *h)* oficinas de gobierno ❑
otros: ______________________________

11. Instituciones privadas, ¿cuáles? ______________________________
12. Organizaciones sociales: ______________________________
13. Comercios, ¿cuáles? ______________________________

Anexo 3. *Investigación preliminar*
REGISTRO DE INSTITUCIONES

Nombre	*Dirección*	*Teléfono*	*Actividades o servicios*	*Horario de atención*	*Nombre del responsable y cargo*

*Aquí se anotan los datos principales de las instituciones que puedan prestar algún apoyo a la Estancia.

3

Anexo 4. *Investigación preliminar*
JARDINES DE NIÑOS Y GUARDERÍAS DE LA ZONA

Plantel	*Dirección*	*Teléfono*	*Responsable*	*Inscripción*	*Cuota mensual*	*Edades de los niños*	*Número de grupos*	*Horario*	*Alimentos Sí ❑ No ❑*

5

Anexo 5. *Investigación preliminar*
OBSERVACIÓN DEL AMBIENTE SOCIAL / CÓMO SON LAS PERSONAS

Observadores: ____________________
Fecha: ____________________
Observación participante ❑ Observación no participante ❑

1. Antecedentes históricos de la comunidad
a) ¿En que año surge la comunidad?____________________
b) ¿Cómo surgió? ____________________
c) ¿A que se dedicaba la gente en los inicios? ____________________
d) ¿Quiénes eran los líderes? ____________________

2. Estructura económica
a) Qué actividades económicas predominan en la zona
____
b) Existe una organización formal de sus actividades
No ❑ Sí ❑ Cuáles: ____________________
c) Existe alguna cooperativa en la comunidad:
No ❑ Sí ❑ Cuál: ____________________
d) Existe desempleo: No ❑ Sí ❑ Cuántas personas ____________________

3. Estructura sociocultural
*Población**

Adultos		Menores de 6 años		De 6 a 18 años	
Mujeres	Hombres	Niñas	Niños	Mujeres	Hombres

Asentamientos
Tipos de vivienda:
a) Colores predominantes de la comunidad: grises ❑ claros ❑ fuertes ❑
b) Construcciones predominantes:
madera ❑ adobe ❑ concreto ❑ otro ❑ cuál: ____________________
c) Distribución: Calles alineadas ❑ Irregulares ❑
d) Viviendas predominantes:
edificios ❑ vecindades ❑ casas solas propias ❑ casas solas rentadas ❑
otras ❑ cuáles: ____________________

Religión
a) Tipo de religión predominante: ____________________
b) Qué actitudes tienen las personas ante la religión: ____________________
____
c) Qué festejos religiosos se celebran: ____________________
d) Influencia del líder religioso en la comunidad: ____________________
____

* Estos datos se pueden conseguir en la delegación o en el registro municipal

Educación

a) Hasta qué grado llega la educación formal: ______

b) Número de estudiantes en la comunidad: ______

c) Cuál es la actitud de los maestros: ______

d) Qué importancia le da la gente a la educación: ______

Socialización

a) Cómo se transmiten los conocimientos:
transmisión oral ❑ aprendices de oficios ❑ desde niños se les enseña ❑ otro
Cuál: ______

b) Cómo se transmiten los valores y las conductas que son importantes en la comunidad: relatos ❑ reprimendas ❑ consejos ❑ otras
❑ Cuáles: ______

Familia

a) Tipos de familia que caracterizan a la comunidad:
nuclear ❑ extensa ❑

b) Estado civil de las parejas:
casados ❑ unión libre ❑

c) Quién es el sostén económico:
el padre ❑ la madre ❑ padre y madre ❑ hijo(s) ❑ otro: ______

Tradiciones

a) Qué fiestas se realizan que involucran a toda o casi toda la comunidad:
______

b) Qué otras actividades comunes se realizan: ______

Costumbres

Qué situaciones comunes se presentan en la comunidad, en relación con:

a) Sus valores: ______

b) Sus leyendas: ______

c) Cómo ven al mundo: ______

Relaciones entre los habitantes

a) Modo de comunicarse: ______

b) Cuál es el trato que se da entre los vecinos: ______

c) En actividades comunes existe:
cooperación ❑ ausentismo ❑ apatía ❑ competencia ❑

4. Observaciones personales

______

______

______

Anexo 6. *Investigación preliminar*
FICHA DE DATOS GENERALES

Observadores: ______
Fecha: ______

Familia número: ______

1. Nombre del padre
Edad: ______ Estado civil: ______
Ocupación: ______
Escolaridad (último grado de estudios): ______
Domicilio: ______
Ingresos mensuales: $______

2. Nombre de la madre
Edad: ______ Estado civil: ______
Ocupación: ______
Escolaridad (último grado de estudios): ______
Domicilio: ______
Ingresos mensuales: $______

3. Integrantes de la familia
Nombre: ______
Edad: ______ Sexo: ______ Estado civil: ______
Escolaridad (último grado de estudios): ______
Ocupación: ______
Ingresos mensuales: $______

Nombre: ______
Edad: ______ Sexo: ______ Estado civil: ______
Escolaridad (último grado de estudios): ______
Ocupación: ______
Ingresos mensuales: $______

Nombre: ______
Edad: ______ Sexo: ______ Estado civil: ______
Escolaridad (último grado de estudios): ______
Ocupación: ______
Ingresos mensuales: $______

Nombre: ______
Edad: ______ Sexo: ______ Estado civil: ______
Escolaridad (último grado de estudios): ______
Ocupación: ______
Ingresos mensuales: $______

4. Distribución mensual del ingreso

Total de ingreso familiar $ ______
Egresos
Renta: $ ______
Alimentación: $ ______
Vestido: $ ______
Servicios: $ ______
Colegiaturas: $ ______
Transportes: $ ______
Actividades recreativas: $ ______
Otras: $ ______
Total: $ ______

5. Vivienda

- Casa propia ❑ rentada ❑ otra ❑ Cuál: ______
- Materiales de la vivienda: ______
  ______
- Número de pisos de la vivienda: ______
- Número de habitaciones: ______
- Número de personas que duermen por habitación: ______
- Cocina: no tiene ❑ sí, dentro de la vivienda ❑ sí, fuera de la vivienda ❑
- Iluminación: buena ❑ regular ❑ deficiente ❑
- Ventilación: buena ❑ regular ❑ deficiente ❑
- Número de baños: ______
  común ❑ dentro de la vivienda ❑ letrina ❑ otro ❑ Cuál ______
- Agua: potable ❑ de lluvia ❑ de pozo ❑ cisterna ❑ tinaco ❑ directa ❑ pileta ❑ otra ❑ Cuál: ______
- Drenaje: sí ❑ no ❑
- Instalación eléctrica: propia ❑ no tiene ❑ otra ❑
  Cuál: ______
- Temperatura de las casas: extremosa ❑ húmeda ❑ templada ❑
- Aparatos eléctricos en casa: televisión ❑ radio ❑ refrigerador ❑ licuadora ❑ plancha ❑ videocasetera ❑ otros ❑ Cuáles: ______
- Cuadros o imágenes en las paredes:
  ❑ no ❑ sí, con letreros ❑ sí, sin letreros

6. Automóvil: no ❑ sí ❑

7. Salud

- Enfermedades más frecuentes en la familia: ______
- Enfermedades crónicas: ______
- Alcholismo: sí ❑ no ❑
- Drogadicción: sí ❑ no ❑

- Consultan al médico:
  regularmente ❑ sólo cuando enferman ❑ sólo en emergencias ❑
- A que institución de salud están afiliados: ____________________

8. Alimentación

Alimentos que se consumen a la semana:

Alimento	*Un día*	*Dos días*	*Tres días*	*Más de tres días*	*A veces*	*No se consumen*
Carne						
Fruta						
Verduras						
Lácteos						
Leguminosas						
Huevo						
Tortillas						
Pan						
Otros cereales						
Enlatados						
Embutidos						
Refrescos						
Golosinas						
Otros, cuáles						

9. Diversiones y actividades culturales

a) Fuera del hogar

Lugares	*Frecuentemente*	*A veces*	*Nunca*
Cine			
Teatro			
Parques			
Museos			
Campo			
Circo			
Biblioteca			
Otros, cuáles			

b) En el hogar

	No	*A veces*	*Una hora*	*Toda la tarde*	*Después de las actividades*	*Durante las actividades*
Radio						
Televisión						

c) Juegos al aire libre
Participa toda la familia ❑ Sólo los niños ❑ Sólo las niñas ❑
Niños y niñas ❑ Nadie ❑

d) Juegos de mesa
Participa toda la familia ❑ Sólo los niños ❑ Sólo las niñas ❑
Niños y niñas ❑ Nadie ❑

10. Los niños menores de 2 años

Situaciones	*Sí*	*No*	*A veces*
En la cama envueltos			
En la cama sin envolver			
En un lugar limitado (cuna, corral, huacal)			
En el piso			
Actividades con la familia			
Juegan con ellos			
Les cantan			
Platican con ellos			
Los dejan gatear			

Actividad	*Antes del año*	*Al año y medio*	*Al año*	*Después de los dos años*
Gatean				
Caminan				
Hablan				

11. Los niños de 2 a 6 años

Actividad	*No*	*Con frecuencia*	*A veces*	*Siempre*
Platican con otras personas				
Recortan y pegan				
Colorean				
Dibujan				
Hacen labores domésticas				
Participan en actividades de la colonia				
Salen fuera de la colonia				
Corren y brincan				

Situaciones	*Sí*	*No*
Tienen sus propias cosas		
Tienen un lugar propio		
Tienen un horario de actividades		
Conocen el trabajo de sus padres		

12. Los padres o familiares

Situaciones con los niños	*No se hacen*	*A veces*	*Con frecuencia*
Premios			
Castigos			
Regaños			
Reglas de conducta			
Reglas de higiene			
Platican con ellos			
Consideran su opinión			
Juegan con ellos			

13. Situación de la mujer

a) En los trabajos domésticos participan:
Sólo mujeres ❑ Hombres y mujeres ❑

b) A qué se dedican las niñas durante el día: ____________________
____

c) A qué se dedican los niños durante el día: ____________________
____

14. Observaciones personales sobre la familia

____

____

____

____

____

____

7

Anexo 7. *Investigación preliminar*
FICHA DE OBSERVACIÓN

Observación participante ❑ Observación no participante ❑

Fecha: ______________________ Hora: ______________________

Lugar de la observación: ______________________

Clima: ______________________

Nombre del observador: ______________________

Estado de ánimo del observador: ______________________

Salud del observador: ______________________

Objetivo de la observación: ______________________

Descripción de la observación: ______________________

____

____

Comentarios personales: ______________________

____

____

Anexo 8. *Investigación preliminar*
VACIADO DE DATOS FAMILIARES

Datos generales	*Familias*									
	1	2	3	4	5	6	7	8	9	10
1. Familia										
a. nuclear										
b. extensa										
2. Núm. de miembros de la familia:										
a. 2 a 4										
b. 4 a 6										
c. 6 a 8										
d. Más de 8										
3. Ocupación de los padres:										
a. Profesionista por su cuenta										
b. Profesionista, empleado										
c. Oficio por su cuenta										
d. Oficio, empleado										
e. Comerciante por su cuenta										
f. Comerciante, empleado										
g. Técnico, por su cuenta										
h. Técnico, empleado										
i. Desempleado										
4. Ocupación de las madres										
a. Profesionista por su cuenta										
b. Profesionista, empleada										
c. Oficio por su cuenta										
d. Oficio, empleada										
e. Comerciante por su cuenta										
f. Comerciante, empleada										
g. Técnica, por su cuenta										
h. Técnica, empleada										
i. Desempleada										
5. Último grado escolar del padre:										
a. Preescolar										
b. Primaria										
c. Secundaria										
d. Carrera comercial										
e. Carrera técnica										
f. Preparatoria										
g. Licenciatura										
h. Maestría o doctorado										
i. Ninguno										

	1	2	3	4	5	6	7	8	9	10
6. Último grado escolar de la madre										
a. Preescolar										
b. Primaria										
c. Secundaria										
d. Carrera técnica										
e. Carrera comercial										
f. Preparatoria										
g. Licenciatura										
h. Maestría o doctorado										
i. Ninguno										
7. Ocupación de los hijos										
a. Profesionista por su cuenta										
b. Profesionista, empleado										
c. Oficio por su cuenta										
d. Oficio, empleado										
e. Comerciante por su cuenta										
f. Comerciante, empleado										
g. Técnico, por su cuenta										
h. Técnico, empleado										
8. Último grado escolar de los hijos										
a. Preescolar										
b. Primaria										
c. Secundaria										
d. Carrera técnica										
e. Carrera comercial										
f. Preparatoria										
g. Licenciatura										
h. Maestría o doctorado										
i. Ninguno										
9. Ingresos familiares mensuales										
a. Menor al salario mínimo										
b. Salario mínimo										
c. Dos salarios mínimos										
d. De tres a cinco salarios mín.										
e. Más de cinco salarios mín.										
10. Gastos										
a. Menor al salario mínimo										
b. Salario mínimo										
c. Dos salarios mínimos										
d. De tres a cinco salarios mín.										
e. Más de cinco salarios mín.										
11. Núm. de hijos menores de 6 años										
a. Menor de un año										
b. Uno a dos años										
c. Tres a seis años										

Vivienda	*Familias*									
	1	2	3	4	5	6	7	8	9	10
1. Tipo										
a. Propia										
b. Rentada										
c. Prestada										
2. Material de techos										
a. Lámina										
b. Concreto										
c. Cartón										
d. Asbesto										
e. Madera										
f. Palma										
3. Material paredes										
a. Lámina										
b. Concreto										
c. Cartón										
d. Asbesto										
e. Madera										
f. Palma										
4. Material del piso										
a. Tierra										
b. Concreto										
c. Mosaico										
d. Madera										
5. Número de pisos										
a. Sólo planta baja										
b. Uno										
c. Dos										
d. Más de tres										
6. Tipo de inmueble										
a. Vecindad										
b. Edificio										
c. Casa con patio										
d. Casa sin patio										
7. Número de habitaciones										
a. una										
b. dos										
c. tres										
d. más de tres										

	1	2	3	4	5	6	7	8	9	10
8. Número de personas que duermen por habitación										
a. una										
b. dos										
c. tres										
d. más de tres										
9. Cuarto de cocina										
a. No tiene										
b. Sí, fuera de la casa										
c. Sí, dentro de la casa										
10. Cuarto de baño										
a. No tiene										
b. Común con otras familias										
c. Dentro de la vivienda										
d. Fuera de la vivienda										
e. Letrina										
f. Fosa séptica										
11. Iluminación natural										
a. buena										
b. regular										
c. deficiente										
12. Ventilación natural										
a. buena										
b. regular										
c. deficiente										
13. Agua										
a. potable										
b. de lluvia										
c. de pozo										
d. cisterna										
e. tinaco										
f. directa										
g. pileta										
h. otra										
14. Drenaje										
a. sí										
b. no										
15. Instalación eléctrica										
a. no tiene										
b. prestada										
c. propia										
16. Temperatura de las casas										
a. extremosa										
b. húmeda										
c. templada										

17. Aparatos eléctricos en casa										
a. televisión										
b. radio										
c. refrigerador										
d. licuadora										
e. plancha										
f. videocasetera										
g. otros										
18. Cuadros o imágenes										
a. no										
b. sí, con letreros										
c. sí, sin letreros										

Otros *Familias*

	1	2	3	4	5	6	7	8	9	10
1. Automóvil propio										
a. sí										
b. no										

Salud *Familias*

	1	2	3	4	5	6	7	8	9	10
1. Enfermedades más frecuentes										
en la familia										
a. respiratoria										
b. garganta										
c. intestinales										
d. dolor de cabeza										
e. gastritis										
g. otras										
2. Enfermedades crónicas										
a. asma										
b. diabetes										
c. otras										
3. Alcoholismo										
a. sí										
b. no										

	1	2	3	4	5	6	7	8	9	10
4. Drogadicción										
a. sí										
b. no										
5. Consultan al médico										
a. regularmente										
b. sólo cuando enferman										
c. sólo en emergencias										
d. nunca										
6. Institución de salud a la que										
están afiliados										
a. IMSS										
b. ISSSTE										
c. particular										
d. otro										
e. a ninguna										

Alimentación *Familias*

	1	2	3	4	5	6	7	8	9	10
1. Alimento que consumen más de tres veces por semana										
a. carne										
b. fruta										
c. verduras										
d. lácteos										
e. leguminosas										
f. huevo										
g. tortillas										
h. pan										
i. otros cereales										
j. enlatados										
k. embutidos										
l. refrescos										
m. golosinas										
n. otros										

Diversiones y actividades culturales *Familias*

	1	2	3	4	5	6	7	8	9	10
1. Cine										
a. frecuentemente										
b. a veces										
c. nunca										
2. Teatro										
a. frecuentemente										
b. a veces										
c. nunca										
3. Parques										
a. frecuentemente										
b. a veces										
c. nunca										
4. Museos										
a. frecuentemente										
b. a veces										
c. nunca										
5. Campo										
a. frecuentemente										
b. a veces										
c. nunca										
6. Circo										
a. frecuentemente										
b. a veces										
c. nunca										
7. Biblioteca										
a. frecuentemente										
b. a veces										
c. nunca										
8. Otros										
a. frecuentemente										
b. a veces										
c. nunca										
9. Radio										
a. no										
b. a veces										
c. 1 a 2 horas										
d. Toda la tarde después										
de las actividades										
e. Durante las actividades										

	1	2	3	4	5	6	7	8	9	10
10. Televisión										
a. no										
b. a veces										
c. 1 a 2 horas										
d. toda la tarde después										
de las actividades										
e. durante las actividades										
11. Juegos al aire libre										
a. participa toda la familia										
b. sólo los niños										
c. sólo las niñas										
d. niños y niñas										
e. nadie										
12. Juegos de mesa										
a. participa toda la familia										
b. sólo los niños										
c. sólo las niñas										
d. niños y niñas										
e. nadie										

Niños menores de dos años *Familias*

	1	2	3	4	5	6	7	8	9	10
1. Los tienen en la cama envueltos										
a. sí										
b. no										
c. a veces										
2. En la cama sin envolver										
a. sí										
b. no										
c. a veces										
3. En un lugar limitado										
a. sí										
b. no										
c. a veces										
4. En el piso										
a. sí										
b. no										
c. a veces										
5. Juegan con ellos										
a. sí										
b. no										
c. a veces										

	1	2	3	4	5	6	7	8	9	10
6. Les cantan										
a. sí										
b. no										
c. a veces										
7. Les platican										
a. sí										
b. no										
c. a veces										
8. Los dejan gatear										
a. sí										
b. no										
c. a veces										
9. Gatean										
a. antes del año										
b. al año										
c. al año y medio										
d. después de los dos años										
10. Caminan										
a. antes del año										
b. al año										
c. al año y medio										
d. después de los dos años										
11. Hablan										
a. antes del año										
b. al año										
c. al año y medio										
d. después de los dos años										

Niños de dos a seis años *Familias*

	1	2	3	4	5	6	7	8	9	10
1. Platican con otras personas										
a. no										
b. con frecuencia										
c. a veces										
d. siempre										
2. Recortan y pegan										
a. no										
b. con frecuencia										
c. a veces										
d. siempre										

	1	2	3	4	5	6	7	8	9	10
3. Colorean										
a. no										
b. con frecuencia										
c. a veces										
d. siempre										
4. Dibujan										
a. no										
b. con frecuencia										
c. a veces										
d. siempre										
5. Hacen labores domésticas										
a. no										
b. con frecuencia										
c. a veces										
d. siempre										
6. Participan en actividades de la colonia										
a. no										
b. con frecuencia										
c. a veces										
d. siempre										
7. Salen fuera de la colonia										
a. no										
b. con frecuencia										
c. a veces										
d. siempre										
8. Corren y brincan										
a. no										
b. con frecuencia										
c. a veces										
d. siempre										
9. Tienen sus propias cosas										
a. sí										
b. no										
10. Tienen un lugar propio										
a. sí										
b. no										
11. Tienen un horario de actividades										
a. sí										
b. no										
12. Conocen el trabajo de sus padres										
a. sí										
b. no										
13. Se les premia										
a. no										

	1	2	3	4	5	6	7	8	9	10
b. a veces										
c. con frecuencia										
14. Se les castiga										
a. no										
b. a veces										
c. con frecuencia										
15. Se les regaña										
a. no										
b. a veces										
c. con frecuencia										
16. Existen reglas de conducta										
a. no										
b. a veces										
c. con frecuencia										
17. Existen reglas de higiene										
a. no										
b. a veces										
c. con frecuencia										
18. Platican con ellos										
a. no										
b. a veces										
c. con frecuencia										
19. Consideran su opinión										
a. no										
b. a veces										
c. con frecuencia										
20. Juegan con ellos										
a. no										
b. a veces										
c. con frecuencia										

Situación de la mujer *Familias*

	1	2	3	4	5	6	7	8	9	10
1. En trabajos domésticos participan										
a. sólo mujeres										
b. hombres y mujeres										
2. Los niños se dedican a										
a.										
b.										
3. Las niñas se dedican a										
a.										
b.										

1. Ficha de datos personales

Fecha de primer ingreso a la Estancia ______________________

Año escolar ______________________
Grupo ______________________

Nombre ______________________
Edad ______________ **Fecha de nacimiento** ______________
Domicilio ______________________
Teléfono ______________________
Vive con ❑ padre ❑ madre ❑ ambos

Nombre de la mamá ______________________
Ocupación ______________________
Teléfono ______________________
Nombre del papá ______________________
Ocupación ______________ Teléfono ______________

Número de hijos en la familia ______________________

Lugar que ocupa en la familia ______________________

Ingreso familiar mensual ______________________

¿Cuántas personas dependen de este ingreso? ______________________

¿La casa es propia o rentada? ______________________

¿Cuántos cuartos tiene? ______________________

¿Tiene cocina aparte? ______________________

¿Tiene baño aparte? ______________________

¿Cuántas personas viven en la misma casa? ______________________

Servicio médico al que tienen acceso ______________________

Observaciones ______________________

Fecha en la que salió de la Estancia ______________________

¿Por qué dejó de asistir? ______________________

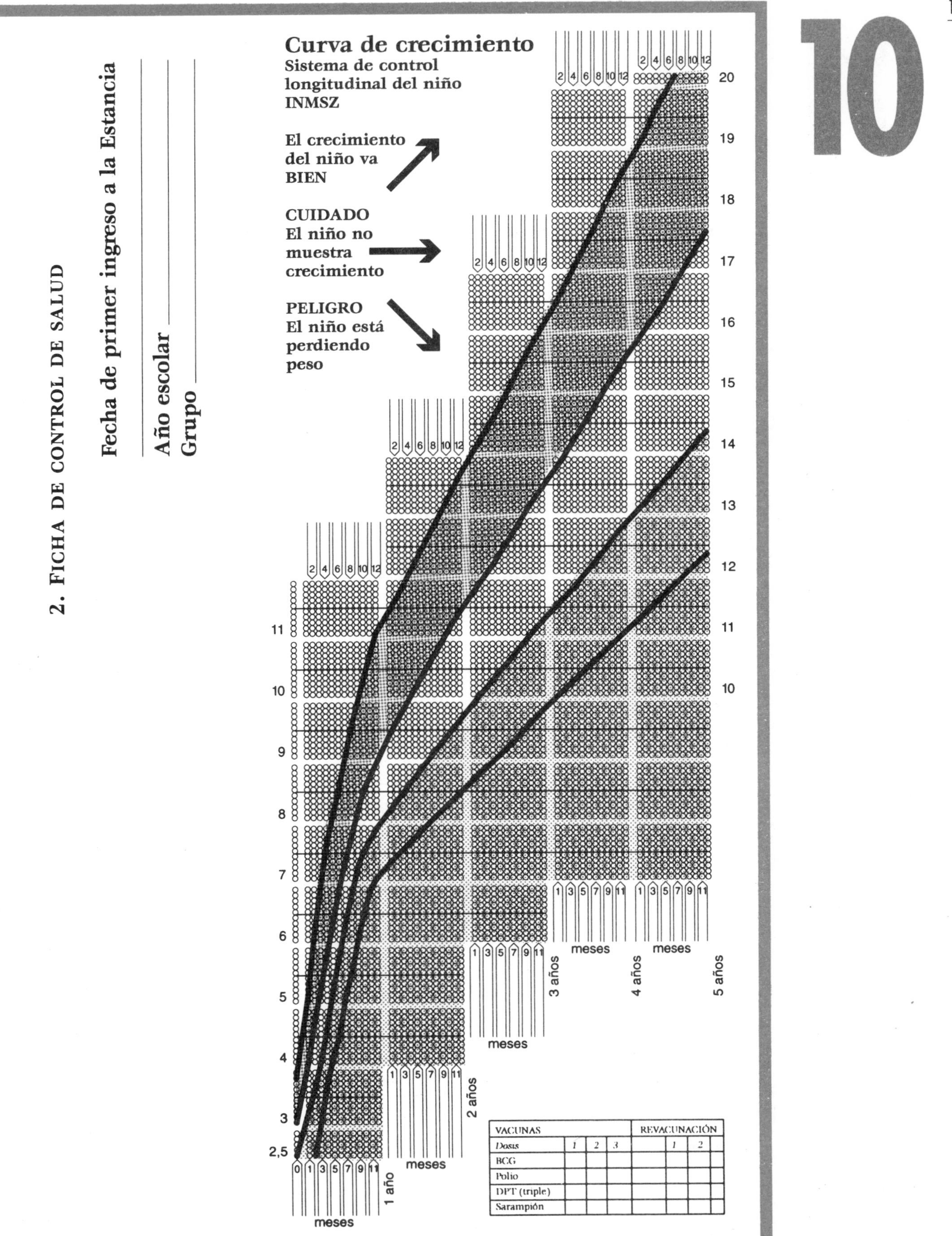

2. FICHA DE CONTROL DE SALUD

Fecha de primer ingreso a la Estancia ______

Año escolar ______

Grupo ______

VACUNAS				REVACUNACIÓN	
Dosis	*1*	*2*	*3*	*1*	*2*
BCG					
Polio					
DPT (triple)					
Sarampión					

3. FICHA DE ASISTENCIA

Mes ____________________

Semana ***Nombres***	**Lunes**	**Martes**	**Miércoles**	**Jueves**	**Viernes**

4. Ficha de evaluación para niños y niñas preescolares

Fecha de primer ingreso a la Estancia

____

Año escolar ______________________

Grupo ___________________________

Evaluaciones

Espacios	Octubre	Diciembre	Febrero	Abril	Junio
Biblioteca					
Taller de Artes					
Taller de Ciencias					
Casa y Comunidad					

5. Ficha de observación individual

Fecha de primer ingreso a la Estancia ______________________

Año escolar ______________________

Grupo ______________________

Fecha	Observación

6. Ficha de observación para familias

Fecha de primer ingreso a la Estancia ____________________

Año escolar ____________________
Grupo ____________________

Nombre del niño o niña ____________________

Nombre del observador ____________________

Parentesco con el niño o niña ____________________

Comentarios sobre el salón, el patio, los materiales

____
____
____

Comentarios sobre el trabajo de la educadora

____
____
____

Comentarios sobre el trabajo del niño o la niña

____
____
____

Alguna duda o sugerencia

____
____
____

15

7. Ficha de observación para visitantes externos

Nombre ______________________________

____

Año escolar ______________________________

Grupo ______________________________

❏ Pequeños ❏ Preeescolar

Educadora ______________________________

Nombre del observador ______________________________

Objetivo de la observación ______________________________

____

Comentarios sobre el ambiente (salón, patio, baño, materiales, mobiliario, etcétera)

____

____

____

Comentarios sobre el trabajo de la educadora (relación con los niños, preparación del trabajo, etcétera)

____

____

____

Comentarios sobre el trabajo de los niños o las niñas (relaciones, uso de los materiales, participación, etcétera)

____

____

____

Comentarios adicionales, dudas o sugerencias

____

____

____

8. Ficha para el trabajo sobre temas

Educadora ______________________________

Espacio de trabajo ____________________ Fecha ____________________

Grupo ____________________ Duración ____________________

Tiempo	Actividades	Técnicas	Materiales	Evaluación y sugerencias

9. Ficha de control de estímulos

Educadora ____________________

Grupo ____________________ Fecha ____________________

Estímulo	**Lo conozco**	**Lo tengo**	**Tengo variaciones**	**Tengo repuestos**	**Requiere mantenimiento**

10. Ficha de autoevaluación

Nombre ______________________

____

Año escolar ______________________
Grupo ______________________

Ambiente
Salón ______________________
Materiales ______________________
Adornos ______________________
Mobiliario ______________________
Patio ______________________
Juguetes ______________________
Comedor ______________________
Cocina ______________________
Utensilios ______________________

¿En qué puedo mejorar? ______________________

____

____

¿En cuánto tiempo? ______________________

____

Trabajo y relación con los niños y las niñas
Momentos que más me gustan ______________________
Momentos que menos me gustan ______________________
Momentos que preparo más ______________________
Momentos que preparo menos ______________________
Dificultades con los niños ______________________

¿En qué puedo mejorar? ______________________

____

¿En cuánto tiempo? ______________________

____

Trabajo y relación con las familias
Las visito cuando falta un niño ______________________
Las entrevisto por lo menos dos veces al año ______________________
Cuando faltan a las actividades familiares
platico con ellas ______________________
Cómo es mi relación cotidiana con ellas ______________________

¿En qué puedo mejorar? ______________________

____

¿En cuánto tiempo? ______________________

11. Ficha de alimentación

Los menús

- Se preparan con anterioridad ❑ Sí ❑ No
- Están balanceados ❑ Sí ❑ No
- Son variados ❑ Sí ❑ No
- Se presentan de manera atractiva ❑ Sí ❑ No
- Les gustan a los niños ❑ Sí ❑ No
- Les gustan a las educadoras ❑ Sí ❑ No
- Se informa diariamente a los familiares ❑ Sí ❑ No

Sugerencias

____

____

____

____

____

____

____

____

____

12. Ficha de ingresos y gastos

Concepto	Ingresos	Gastos	Diferencia ingresos-gastos
Totales			

13. Ficha de mantenimiento

Concepto	Tenemos	Necesitamos	Fecha de mantenimiento o reparación
Salones Mobiliario Papelería Adornos Instalaciones			
Cocina Utensilios Aparatos Mobiliario Instalaciones			
Baños Instalaciones Accesorios Mobiliario			
Patios Juguetes Instalaciones Mobiliario			
Otros Oficina Dormitorio Recibidor Etcétera			

Notas

Notas

NOTAS

Notas

Notas

NOTAS

Esta obra se terminó de imprimir
en abril de 2014, en los Talleres de

IREMA, S.A. de C.V.
Oculistas No. 43, Col. Sifón
09400, Iztapalapa, D.F.